JN087390

ぼくは翻訳について こう考えています

柴田元幸の意見100

柴田元幸 著

　翻訳について、過去30年に喋ったり書いたりしてきたことを、この1冊にまとめた。

　まとめた、とあたかも自分でやったかのように言うのは虚偽である。この本はいちおう僕（柴田元幸）が著者ということになっているわけだが、まずこの本を発案し、膨大な時間を費やして多くの本や雑誌や新聞に目を通し、音声資料を聴き、そのなかからめぼしいものを拾って、しかるべく配置し、あたかもこの人間はいちおう一貫性のある言動をとってきたのだと思えるようなつながりを作ってくださったのは、アルクの永井薫さんである。そうやってまとめていただいた原稿に、第三者が口を出すみたいな感じで、僕が若干加筆した。なので、気分としては、作者は永井さん、柴田は監修者と言うのが正しい気がする。

　とはいえ、むろん、ここで翻訳についてあれこれ言われていることについての責任は、全面的に柴田が負わねばならない。まあ大したことも言っていないので責任も大したことはない……ということになるかどうかはわからないが、ひとまずどの発言も、いまほとんど他人事のように読んでみて、現在の自分の実感にも即しているので、心置きなく責を負うことができる。要するに30年、ほとんど進歩はないのだ。せいぜい、前は60代以上の男性が作中で出てきたら軒並み「わし」と言わせていた

のが、自分が65になったいま、自分はいっこうに「わし」と言うようにはなっていないし周りを見ても誰もやっていないので「わし」はやめて「私」「僕」などを使い分けるようになった、という程度である。まあこれも進歩とは言わないか。

　だいたい、翻訳者は作家という神に仕えるのだとか、翻訳者は奴隷であり黒子であるのだとかふだんは言っているくせに、こんな晴れやかな場で自分の意見を堂々開陳するとはどういう了簡か、という批判もあるかもしれない（というか、自分から真っ先に自分ツッコミしたい気持ちもないとは言えない）。とはいえ、周縁にいる人間に声を与えるのは世の趨勢、翻訳者という名の奴隷にちょっとくらい声が与えられてもいいのかなという気もする。小難しいことは何も言っていないので（言おうとしても言えないので）、ここからもっと重厚な議論が続けば嬉しい。翻訳をしたり書評を書いたりといった仕事をはじめたころ、自分は野球で言えば一番バッターなのだとしばしば思った。自分がわりと敷居の低い作品を訳したり、敷居の低い紹介文を書くことで、ほかの人がもっと重厚な仕事をしやすくなれば、と考えたのである。ここでもまた、一番、柴田、としてバッターボックスに入らせてもらおうと思う（あえなく三振するかもしれませんが）。

　この本はどういう人に役立つのだろうか。まず考えられるのは、翻訳に行き詰まったり迷ったりしている人に

ヒントを提供する、という効用は（反面教師という可能性も含めて）もしかしたらあるかもしれない。だがその一方、他人の言うことをあれこれ聞いたりしないで自分で一冊も多く小説や詩を読んで一行でも多く訳した方がいいですよ、と促したい気もする。迷っている人は是非本書を！と声を大にして言うのはちょっとはばかられる。なので、小声でごじょごじょ、ょかったら読んでみてとささやきたいと思う。そしてもちろん、どういう関心からであれ、どなたにでも、とにかく読んでいただければ嬉しい。「この本はこうこうこういう読者にこそ読んでほしい」なんて勿体ないことは言わない。

　一人ひとりお名前を挙げることはとうていできないが、ここに収められた文章が生まれる上で関わってくださったすべての方々に感謝する。そしてこの本の「作者」永井薫さんにも心からお礼申し上げます。膨大な資料に永井さんが目と耳を通してくださったいま、僕が翻訳についてどう考えているかは永井さんの方が深く把握しています。なので、何かわからないことがあったら永井さんに訊いてください。

　各ページの下に入っている、新たに加筆した部分には、島袋里美さんが描いてくれた僕のイラストが付いている。このイラスト、いままで何回使わせてもらったことか……この場を借りて、島袋さんに深く深く感謝します。言うまでもなく、これ🦔が本物の僕であり、僕自身は単なる「翻訳」にすぎません。

第1章
ぼくが考える翻訳とは

第2章

ぼくの翻訳手法 その1

8

第 **3** 章
ぼくの翻訳手法 その2

第4章
ぼくが考える翻訳という仕事

第5章
ぼくの翻訳の教え方

第6章
ぼくと村上春樹さんとのお仕事

第*7*章

[番外編]

ぼくから若い人たちへの
メッセージ

第 1 章

ぼくが考える翻訳とは

1 理想の翻訳

　合っているか間違っているかでいえば、翻訳なんて、全部、間違っているんですよ。何もかも全部を伝えるなんて、原理的に無理なんですから。ただ、**「どう間違うのがいちばんいいのか」を細かく考える**しつこさがあるといい、とはいえるかもしれませんね…〈中略〉… 翻訳で伝わっていな

　　ボルヘスは「学問の厳密さについて」で縮尺一分の一の地図について語っています。「王国に等しい広さを持ち、寸分違わぬものだった」その地図は、結局人々に「無用の長物と判断」されてうち捨てられ、「ずたずたに裂けた地図の残骸」が砂漠に残るのみとなります（鼓 直訳）。「何もかも全部伝える翻訳」も一分の一の地図みたいなものじゃないでしょうか。

いことというのは、いくらでも挙げること
ができます。その中で、**「ここでは、何
が伝わるのがいちばん望ましいの
か」ということを見極める。**そうやっ
て大体を伝えていけば、小説の場合、総体
として「よさ」は伝わるんじゃないかと思
います。

「光村図書」ウェブサイト　作者・筆者インタビュー

2

翻訳を視覚化すると

下にいる子供たち、つまり読者、が喜べばそれで いいのなら、ここはつまんないなと思ったら訳者 が勝手に面白い話を作っちゃってもいいことになる。だ けどこっちはいつも、面白いと思う小説しか相手にして いないわけで、そうすると結局、訳者が余計なことをす るより、ひたすら忠実であるよう努めるのが、「子供た ち」を喜ばせる最良の手段です。

　「翻訳する」という行為を視覚化してみ
ると、**ここに壁があってそこに一人
しか乗れない踏み台がある。壁の
向こうの庭で何か面白いことが起
きていて、一人が登って下の子ども
たちに向かって壁の向こうで何が
起きているかを報告する**、そういう
イメージなんです。…〈中略〉… 下にいる子ど
もたちが（喜べば）それでいいと思ってる
んです（笑）。

『小説の読み方、書き方、訳し方』河出文庫

3

訳している「僕」とは誰か

　この間スチュアート・ダイベックが日本に来て、一緒に京浜工業地帯を歩いていた時に、「こういうところを歩くと子供のころに戻るよね」っておたがい言ったんですよ。たとえば学生のころよく歩いた大学の裏の界隈を歩くと、今でも自分の将来に不安だったころの気持ちが甦ってくる。要するに三つ子の魂百までで、**いろんな自分が積み重なっているだけだから、そ**

同じリクツでいまは65歳だけど65歳である僕はごく表層の部分だけってことになるんですが、で、ある意味では本気でそう思うんだけど、肉体的には、これはもう圧倒的に65歳なんですよね（あ、翻訳と関係ないか）。

の到達点が特に特権的なわけでは
なくてむしろそれは一番薄い部分
で、コアの部分っていうのは10代
20代でできていると思います。だか
ら訳すときも54歳の僕が訳していると
う感じはあまりしないですね。54歳の僕が
得た知識で若いころの僕を助けている気は
しますけど。根底に通っているのは何も変
わっていないと思います。

「文藝」2009年春号 河出書房新社

4 小説家の気分

僕は基本的に翻訳はサービス業だと思っているんで、要は、**自分が英語で得た情報を読者に日本語でどれだけ効率よく伝えるかの問題**だと思っているので、そこから自分が学びとろうというふうに思ったことはないんですね。

ただ、そうやって自分が英語で得たもの

それとは別に、いい小説に仕える快感、というのもありますね。もしかしたらこっちの方が大きいかもしれない。だから翻訳者には、奴隷的精神の持ち主が向いていると思う。

を他人に日本語で伝えるのがなぜ快感なの
かは、よくわからないんですけどね。たぶ
んそれは、単純にやっぱりいい小説を訳す
のって、**半分そのいい小説を書いて
いた人間になったみたいな錯覚に
陥れるから**だと思うんですけどね。

『翻訳夜話』文春新書

5 影響されやすい人間
●●●●●●●●●●●●●●●●●●●●●●●●●

　前にも言ったけどいいか悪いかはまった
く別として、僕はアッという間に影響され
るんですよ。何かを読んで、そのあとに訳
すと、読んだものが何となく反映される気
がするんですね。だから、さっき虫の居所
なんかで訳し方はいくらでも変わると言っ
たけど、それと同じで、その前にどういう
言葉に接していたかで変わるだろうと思う
んですよね。

　そういう意味で言うと、このあいだ言っ
たこととまったく反対なんだけど、**どう**

　「テレビなんかの日本語」という
言い方はあまりに雑ですね。すみ
ません。いいテレビ番組もありますよね。
「教授会なんかの日本語」に訂正します。

せなら美しい日本語に接してたほ
うがいいだろうと思うんですね。と
いうか、テレビなんかの日本語はあ
まり入れたくない。 自分の言葉が十分
嘘だから、わざわざそれ以上嘘っぽい言葉
を入れる必要はないということで、もっと
ボルテージの高い言葉に接しているほうが
いいなとは思います。そういう広い意味で
考えるんだったら、美しい日本語に接して
いなさいというのは、そのとおりだと思う
んですけども。

『翻訳夜話』文春新書

6

音楽にたとえるなら

━━━━━━━━━━━━━━━━━━━━━━

言い換えれば、翻訳は負け戦だっていう
ことですね。10対0で負けるのではなく
10対9で負けるように頑張る作業を「推敲」と
言うのだと思う。「負けは負けじゃないか」と言
う人には原文を読んでもらうしかありません。

　結局のところ、**音楽にたとえるなら、原文がライブだとすれば、翻訳はライブを録音し編集したＣＤのようなものかもしれない。**むろんＣＤでも音楽自体は基本的には再現されている。だがライブの会場に居合わせなければ感じられない熱気のようなものは確実に存在する。どうしたって「損をする」ことは避けられないのである。

『二〇世紀アメリカ文学を学ぶ人のために』世界思想社

27

7 いくら正確でも

　世の中では「誤訳」ということをよく問題にし、正しい翻訳と誤った翻訳があると考えられがちだが、極論すればあらゆる翻訳は誤訳である。すべてを伝えた、正しい翻訳などありえないことはすでに述べたことから明らかだろう。いわゆる英文和訳レベルでの正確さもむろん翻訳における重要な要素だが、決して最優先事項ではない。**訳者が原文を読んだときに感じた**

「あなたにとって翻訳とは何ですか」と問われたら、迷わず「快感の伝達です」と答えます。

ような快感が伝わるような訳文に
なっていなければ、いくら正確でも
意味はない。たとえばその快感は、ユー
モアから生まれていたり、恐怖感から生ま
れていたり、厳密な論理性から生まれてい
たりするかもしれない。そのような「快感
の源」がうまく伝わっていなければ、その
訳文は一見正確でも、本当の意味で正確で
はないというべきだろう。

『二〇世紀アメリカ文学を学ぶ人のために』世界思想社

8

最も生きていると感じるとき

だから、細字の万年筆を使うと
インクの光も細くて、生きてい
る実感もちょっと寂しい気がします。
太字の方が圧倒的に楽しい。

　翻訳がはかどっているときは、頭を使っ
て訳しているというより、体から訳が出て
くるような感じであり、字を埋めていくと
いうよりは、字がノートに現れるのを眺め
ている感じである。ペン先から出てきたば
かりのインクは、まだ濡れて光っている。
その濡れた光を見ているとき、べつに「俺
はいま生きているなあ」と頭の中で言語化
しているわけではないが、**その瞬間を
「最も生きていると感じるとき」と呼
ぶのが自分にとっては間違いなく一
番しっくりくる。**

『ひとおもい』東信堂

9 日本の翻訳者は偉い?

　日本は1860年代に国を開いて、一気に西洋文化が
なだれこんできた。国が西洋の植民地になってしま
う、という危機感もあり、とにかく、ものすごいエ
ネルギーで西洋の文化を吸収していった。その、吸
収していく作業の主なものが、まさに翻訳だったわ
けです。あらゆる分野の西洋の文献が翻訳されるの
だけれども、辞書もろくにそろっていないし、そも
そも西洋の文章に出てくる基本的な単語にあたる日
本語がない。そこで日本の翻訳者たちは漢字を組み
合わせて次から次へと新しい訳語をつくった。そう
いうときにやっぱり漢字はものすごく便利なんです。
だいたい2つの character、漢字を組み合わせれば、
かなり抽象的な概念でも言えますから。そうやって
日本語で言えることを飛躍的に増やした。だから
**翻訳が日本語を作ってきた割合っていうの
が大きい**わけです。だから**翻訳者の役割って
いうのはある程度目に見えるものだった**と

思います。

　それから、どうも西洋には自分たちより優れた文明があって、それになんとか追いつかなきゃいけない、その仰ぎ見る視線の途中に、つまり、西洋と日本の間に翻訳者は立っていたわけで、**翻訳者自体は何も偉いことはないんだけど、なんとなく仰ぎ見る途中にあるから、それなりに偉い人、みたいに見てもらえる、**そういう流れがあったのじゃないかと思います。

　西洋は他国の文化っていうのを、植民地、帝国主義の時代もずっと吸収してきたわけですけれども、それは仰ぎ見る視線じゃなくて、見下すような視線で、**他の文化を西洋の次元に引き上げるというような意識すらあった。そこで翻訳者の地位というのも変わってくると思われます。**つまり、西洋では誰が訳してるかっていうことはあんまり問題にならないですね。

「夏の文学教室」2019年講演

10

翻訳のように見えない翻訳

　「誰が翻訳したのか」にまで読者の目が行くというのはすごいことです。

　ただ、日本語はほかのたいていの言語とずいぶん違っていて、英語からフランス語みたいに機械的にできる部分がほとんどないから、**今も昔もひどい訳は本当にひどい（笑）。**そういう翻訳書も少なからずあるから、翻訳者に目が行くというのもあるんだと思います。他人のことを言うのは簡単ですが。

　さっきお話しした「西洋は進んでいる」という価値観は訳し方にもあらわれていて、**原文に対す**

　西洋、というか英語圏でも、アカデミズムでは「他者の他者性を尊重せねばならない」ということで、いかにも翻訳文っぽい翻訳が正しいのだ、という声も強いようです。アカデミズムの声と、商業的翻訳との隔たりが、すごいなあと思う――どっちにも与しませんが。

るリスペクトは欧米の翻訳者よりも日本の
翻訳者の方が強いです。だから、英語の原
文には忠実だけど日本語としては不自然と
いうケースがどうしても多くなる。

　逆に日本語を英語に訳す時は、「日本文学だけど、
英訳するならもうそれは自分達のもの」という感じ
です。だから、日本語には忠実だけど英語としては
ちょっと、という訳文はまず編集者が通しません。
欧米では「翻訳のように見えない」という
のが翻訳の理想なんです。

11

なぜ今、翻訳が注目されるのか

サリンジャーの『ナイン・ストーリーズ』はそのほとんどを真夏、陽のあたらない薄暗い静かな部屋で、登場人物たちの会話を盗み聞きしているみたいな気持ちで訳しました。彼らが年中喫っている煙草の煙まで漂ってくる気がしたものです。

　J.D.サリンジャーみたいな作家を訳していて感じるんですけれども、読者が小説を読むときに、昔ほど中の思想とかメッセージとかに集中するのではなく、文章のトーンとか、あるいはその小説の中の人たちの語り、しゃべり方、語り口とか、そういうことにも神経を注ぐようになっている、**小説をより丁寧に「聞く」ようになっていると思います。**そうなれば文章の細部にも目、というよりも耳が行くわけで、当然、翻訳を読むうえでも、訳文に意識的になってくる。なので、今、翻訳がより前面に見えてきているのは自然な流れだと思います。

「夏の文学教室」2019年講演

12 自然さも等価で

すべての小説について言えることですが、こういう時に日本人は日本語ではこのようには言わずにこう言うんだ、と判断して、だいぶ意味は違うけれど思い切って意訳することは常にあります。この小説〔『ハックルベリー・フィンの冒けん』のこと〕の場合はそれが多いですね。つまり翻訳ではいろんなことを伝えなきゃいけないわけです。いろんなことを等価で再現しなきゃいけない。**もちろん意味が等価であるというのは**

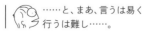……と、まあ、言うは易く
行うは難し……。

ひとつありますが、自然さも等価じゃなきゃいけない。よくすごく不自然な日本語の訳を作って、原文ではこう書いてあるんだからこれでいいんだと言う人がいますけど、自然さも等価じゃなきゃいけないというところが全然抜け落ちていたりする。こういう小説の場合には自然さはとても大事です。**もしかしたら場合によってはいわゆる表面上の意味以上に大事かもしれない。**

「週刊読書人ウェブ」

13

正しくて当たり前

〰〰〰〰〰〰〰〰〰〰〰〰〰〰〰〰

ずっと前に、コンピュータの師匠に「なんか僕のパソコン、壊れたみたいなんだけど」と言ったら、「コンピュータなんてつねに壊れてるんです。どう壊れていて、それにどうつき合うかが大事なんです」と諭されました。それと同じで、「翻訳なんてつねに誤訳なんです」という言い方は絶対に可能です。

　「誤訳」という言葉がこれだけ流布して
いて、「正訳」という言葉が少なくとも辞
書には存在しないというのは興味深い事実
である。相撲の行司に関し「差違い」とい
う言葉はあってもその反対語がない（しい
て言えば「軍配どおり」か）のと同じで、
いずれの場合も、**「正しくて当たり前」
という前提がある。**

『人文知 3 境界と交流』東京大学出版会

14 「翻訳蔑視」はむしろ正当

　キャサリン・ポーターは、勤務先の大学で終身在職権（テ ニ ュ ア）の獲得をめざす若手教授が、業績に翻訳があまり多く並ぶのはまずいと年上の同僚に忠告されて、重要な訳業（トーマス・ベルンハルトの『破滅者』英訳）を変名で出した例を紹介している。このようなアカデミズムでの「翻訳蔑視」は、日本でも少し前まであった。筆者自身、十数年前、人事選考審査を受ける際に業績の提出を求められたが、その中で翻訳は「参考資料」と位置づけられ、かくして業績はほんの数ミリの厚さ、参考資料は段ボール箱二箱、というあまり恰好のよくない事態となった。

　個人的には、しかし、アカデミズムにお

けるそのような「翻訳蔑視」はむしろ正当ではないかと思わないでもない。学者の仕事に「独自の思考」という言葉でひとまずまとめられるようなものが求められるとすれば、翻訳はありていに言ってそのようなものなしでもできる作業だからである。現在のように、たいていの場で「翻訳も立派な業績」と言ってもらえるのは、有難い反面、それでいいのだろうか、という思いも残る。独自の思考云々は抜きにしても、**知的元手がかかった数十ページの論文一本を書く手間は、小説を何冊も訳す手間に匹敵する。**もっともこうしたことは、学者業界の外にいる人たちにはまったくどうでもよい問題だろうが。

『人文知 3 境界と交流』東京大学出版会

15

作家は神様

▰▰▰▰▰▰▰▰▰▰

なので僕は「作家さん」という言い方が嫌いです。神様のことをそんなふうに馴れ馴れしく言っちゃいけない。「その割にあいつ、馴れ馴れしいなあ」と言われそうですが……。

　翻訳者から見ると、創作には翻訳とは全然違う次元があります。**翻訳は楽器の演奏と同じで、原文という名の楽譜があるし、その楽譜は逃げない。でも作家や詩人は楽譜がないところから音楽を創る。**創るために、いろんな人の声を聞いたり、頭の中で変容したり、素材は外にあるかもしれないけれど、形として楽譜がないという点は大きい。だから作家は創造者であって、僕は作家を神様だと思っています。

「MONKEY vol.12」SWITCH PUBLISHING

16 絶賛された訳詞

━━━━━━━━━━━━━━━

　僕の知りあいのロックシンガーがコンサートを開くことになり、その企画に、日本語を解さないアメリカ人が加わった。このアメリカ人が、彼の歌の内容を知りたいというので、これまた僕の知りあいの女性が、彼が日本語で書いた歌詞を英訳することになった。コンサートが終わり、楽屋に行くと、スタッフの誰もがこの女性の訳詞を絶賛した。それも、アメリカ人スタッフがほめるならまだわかる。だがそれだけではなく、日本人スタッフまでも、口を揃えて彼女の訳をたたえ、「彼が何を言おうとしているのかがはじめてわかった」と言ったのである。

　経験的に言って、詩や詞を翻訳する場合、どうしてもその多義性を削ぐ方向で訳さざるをえない。文脈全体のさまざまな要素のあいだの微妙なバランスが成り立ってはじめて多義性は「サマになる」ので

あり、そうしたバランスを翻訳で再現するのはほとんどの場合不可能である。無理に多義的に訳そうとしても、どの「義」もうまく伝わらない（要するに、さっぱりわからない）訳になってしまうのが関の山である。**彼女の訳詞が「彼が何を言おうとしているのかがはじめてわかった」と評されたのは、原詞の多義性をいわばある程度絞り込み、ある程度「意味」を明確にしたからだろう。**とはいえ、多義性を絞り込み、意味を明確にしたところで、それがつねに賞讃されるわけではあるまい。むしろ**「言ってることはわかったけど、なんかつまんなくなっちゃったね」といった反応が出てきても不思議はないはずである。**

『シリーズ言語態 2 創発的言語態』東京大学出版会

17

東京での生活は「翻訳」だ

　大学で翻訳の授業をやっていると、学生さんから
よく「小説内の会話を自然に訳すにはどうしたらい
でしょうか」と訊かれる。

　たしかに彼らの多くは会話の訳が苦手であり、妙
に硬い、不必要に理屈っぽい言語を人物に喋らせが
ちである。それでこっちは、「あのねえ、人間みんな
が東大生みたいな喋り方するわけじゃないんだよ」
と言う破目になる。

　で、どうしたら自然に訳せるか、と訊かれると、
答えは決まっている。「それぞれの人物に、君の知
りあいで誰かふさわしい奴を当てはめて、そいつに
喋らせてみてはどうか」。翻訳の訳文は「作る」もの
ではなく「聞こえてくる」べきものだというのが僕

の持論だからである。

　これでたいていの人は納得してくれるのだが、あるとき、入学まもない一年生にそう答えたら、「そうするとみんな、すごい訛りになっちゃうんですが」と言われた。

　一瞬、何のことかわからなかった。次の瞬間、誰もが標準語の環境で暮らしていると決めつけていた自分を恥じた。**要するに彼は大学生活を、ほとんど外国語を話すことからはじめているのだ。** 翻訳の授業なんていかがわしいものを受講せずとも、**東京での日々の生活がすなわちこれ翻訳なのである。**

『シリーズ言語態2 創発的言語態』東京大学出版会

第2章

ぼくの翻訳手法
その1

18

しっくりくるようにやっていく

「考えずに出てくる」には二種類あるかもしれない。「このフレーズが出てきたら、かならずこう訳す」というふうに短絡回路が出来上がっている場合と、そういうのとは関係なく、とにかく原文を見たらパッと訳文が浮かぶ場合。前者はあんまりよくない。原文にきちんと耳を傾けないことになりかねないから。後者みたいなことがしじゅう起きるのが理想。

　なるべくなんにも考えないようにしています。それって意識していないということになるのか、意識してるってことになるのか、よくわからないですけど。**とにかく読んだ感じがそのまま出るようにする**ことで、少なくともあまり意図的な操作で、この人の場合にはなるべく漢語を使おうとか、ポリシーを決めてとか、そういうことではないですね。**とにかくしっくりくるようにやっていく**というだけですね。

『小説の読み方、書き方、訳し方』河出文庫

19

なぜ you を訳さないのか

〔"Not everyone still has a place from where they've come, so you try to describe it to a city girl one summer evening ... という スチュアート・ダイベックの一文について〕「君は」とい う言葉を訳さない人が何人かいたんだけど、 これは受験勉強の弊害ですかね。入試の採 点とかしてると、英文和訳で人間一般を指 す you が出てきたとき、訳していない答案

その反面、he や she は圧倒的に「訳しすぎ」
の傾向があります。こっちこそ「訳さない」
をデフォルトとして考えた方が。

がすごく多い。それですごく不自然な日本語になってるんだよね。**これはたぶん、予備校とかで「人間一般を指すyouは訳さない」と教わって、それに愚かしく従っているんだと思いました。**それはひとつの知恵ではあるが、日本語として自然でなければ話にならない。

『翻訳教室』新書館／朝日文庫

20

ファッションと車とゴルフは

〔同じくスチュアート・ダイベックの文章に関し、「playの
後に野球のポジションがきたら、『守る』っていう日本語が来
ると思う。それだけ日本に野球が根付いているってことだと
思うんですけど」という発言を受けて〕**野球が日本
に根付いているからこういう言い方
ができるって言ってくれましたが、
まったくそのとおりで、野球とかに**

outfield「外の野原で」、いいですよ
ねえ。授業で出会ったその手の誤訳
では、ずいぶん前のだけど「律動と憂鬱」
(rhythm & blues の「訳」) が依然最高か。
いや、これよく考えると誤訳じゃないかも。

全然興味ない人も当然いるわけです。 outfield を「外の野原で」とか訳した人もいた（笑）。興味ない分野の訳は、誰かに見てもらった方がいいですね。僕もファッションと車とゴルフにはまったく興味がないので、そういうのが出てくると誰かに見てもらいます。

『翻訳教室』新書館／朝日文庫

21

聖書は事実に勝つ
▀▀▀▀▀▀▀▀▀▀▀▀▀▀▀▀▀▀▀▀▀▀

〔Just before she appeared the whine of locusts became deafening ... の locusts を「イナゴ」と訳すか「セミ」と訳すか、という質問に応えて〕ここは絶対「イナゴ」です。どっちも意味しうるんだけど、なぜ「イナゴ」に決められるかというと、ここで場違いに、ゆえに効果的に喚起されているのは、聖書のイメージだから。旧約聖書の「出エジプト記」で、ユダヤ人を虐待したエジプト人に罰があたってイナゴの大群が押し寄

せる。…〈中略〉…学者に言わせると、実はイナゴは大群を作って飛び回ることはないらしくて、実際にそんな生態があるのはトノサマバッタかサバクトビバッタしかいないと言うんだけど、**聖書ではイナゴの大群と言っていてそれで何百年やってきた。で、聖書は事実に勝つ。** ここの whine of locusts にも明らかに聖書的な響きがあるから、「イナゴ」ですね。

『翻訳教室』新書館／朝日文庫

22

翻訳七不思議
~~~~~~~~~~~~~~~~~~

まあもちろん「赤い日が東から西へ、東から
西へと落ちて行くうちに」(漱石『夢十夜』) な
んていう場合は「へと」にも必然性があるんですが、
単に「西へ行く」で済むところでなぜか翻訳では「西
へと行く」とする人が多い。

その前に、翻訳の七不思議の話をしよう
かな……いや七不思議っていうのは嘘だな、
一つしかないから（笑）。**翻訳を教えて
いて、いつもすごく不思議なのは、
「〜へ」「〜に」と訳せばいいところ
を、なぜかすごくたくさんの人が
「〜へと」って書く**んですね。

『翻訳教室』新書館／朝日文庫

23

「!」の処理について

この発言は15年前。その後エクスクラメーショ
ンマーク (感嘆符) については、ずいぶん事情が
変わりました! 特に!! 若い世代のあいだでは!!!
ずいぶん使われるようになりましたよね!!!! 逆に
こっちは、「場合によっては訳ではなくてもいいん
じゃないか」と思うことが増えた気がする。単に世間
に (ごくしけたレベルで) 逆らってるだけか?

　僕は英文に**エクスクラメーションマークがあったらほとんど全部再現します。クエスチョンマークも再現するし、段落も絶対変えない。**この3点はもうそのままにして何も考えないですね、面倒だし。ただ、割とそれを嫌う人は多い。エクスクラメーションマークってそんなに日本語で使わないと考える人も多いので、これは正解はなし。僕はとにかく変えないです。よほどのことがないと取らないですね。

『翻訳教室』新書館／朝日文庫

24

beginは「始める」か
━━━━━━━━━━━━━━━━━━━━━━━

beginは「〜してくる」がいいこともあります
ね。I was beginning to feel he was right
（この人の言ってることが正しいのかな、という気
がしてきた）とか。

　「泣き始めた」は「泣き出した」って言う方が普通だと思う。**原則としてはbeginとかstartとかいう言葉があると、どうしても「始める」という日本語を我々は使っちゃう。でもそれは「出す」でいいことが多い。**ただもちろん「出す」は意味が曖昧で、たとえば「つくりだす」と言ったらそれは「作り始める」の意味にとってもらうのは不可能で、「つくりあげる」の意味になっちゃう。動詞によって使い分けは必要ですけどね。

『翻訳教室』新書館／朝日文庫

25

誤訳が多いhurt

ほとんどの人が間違えていたのはこの You're hurting the baby の意味ね。赤ん坊が「怪我する」とか「傷つけてる」って訳してる人が多かったけど、そうじゃなくて hurt は「痛い」あるいは「痛くさせる」っていうこと。もちろん傷つけるって意味にもなりますけど、たとえ

ば注射のときに「痛い？」は Does it hurt?
と言う。「痛い」のいちばん一般的な言い
方です。だからこれ、「赤ん坊が痛がって
るでしょ」〔You're hurting the baby,〕「痛がってなん
かいないよ」〔I'm not hurting the baby,〕って言って
るんですね。これはもう単純な誤訳レベル
の問題です。

『翻訳教室』新書館／朝日文庫

26 shockとショックの強さ

　たしかに、shock という言葉は要注意。
…〈中略〉…たとえば、誰かが殺されかけたよ
うな体験をしたあとに He seemed to be in
shock とあったら、「ショックを受けている
ように見えた」では弱すぎますよね。「大
きな精神的打撃を受けているようだった」
とかにしないと。つまり shock はすごく強
い意味にもなるんですよね。でも、この場
合の shock〔帰宅したら巨大な蛙を見つけてびっくりす
る場面〕はもちろんそこまで強い意味じゃな

い。逆に、日本語の「ショック」では強すぎ…〈中略〉…単に「びっくりなさる」くらいでいいだろうってことだね。英語のshockはすごく意味の幅が広い上に、なまじ「ショック」という日本語ができてしまっているためについそのまま訳してしまいがちなので、気をつけないといけない。つねに文脈を考えないとね。

『翻訳教室』新書館／朝日文庫

27

翻訳者泣かせのturn

いずれにせよ、turnという言葉は翻訳者泣かせの言葉でありまして。…〈中略〉…日本語ではいちいち言葉にして言わないような状況に使われるんですね。たとえば、僕がいまみなさんの方を向いて立っているわけです。で、僕がいきなりこの部屋を出ていくとする。そうすると、日本語では「いきなり部屋を出て

いった」と言えば済むでしょう。ところが英語では、He suddenly turned and walked out the room とか言ったりすることが多い。**「向きを変えた」ことをきちんと報告するわけ。**そういうときに、turn を使うんです。たいていの場合、turn を無視して訳しちゃってもいいんだけど、そうするとまたリズムが変わって、困ったりする。

『翻訳教室』新書館／朝日文庫

28

語尾に「が」を付けるとき

̴̴̴̴̴̴̴̴̴̴̴̴̴̴̴̴̴̴̴̴̴̴̴̴̴̴̴̴̴̴̴̴̴

まあもちろん「10年前のことになるが」
「ちょっと小耳にはさんだんだけど」と
いった「が」「けど」はまったく自然であり、こう
いうのまで排斥しようとは思いませんが。

〔I realized ... を「ふと気づいたのだが」と訳すのはどうか、
という質問に応えて〕その場合、問題は語尾なん
だよね。どうしても「が」になるんだよな。
国語審議会みたいな物言いですけど、**逆
接でない「が」はできるだけ避けた
い。**「しかし」の意味ではないのに「が」が
出てくるというのは、話し言葉を再現する
ときなんかにはすごくリアルに思えたりす
るんだけど、**地の文ではどうしても文
章に張りがないように思えてしまう。**

『翻訳教室』新書館／朝日文庫

29

コロン「:」とセミコロン「;」の訳し方

　まず、英語における「:」（コロン）と「;」（セミコロン）の基本的な違いは覚えてくださいね。最初の段落の終わりに I turned my gaze aside; I no longer dared look anyone in the face のセミコロンがありますよね。ここからわかるように、**セミコロンというのは、カンマとピリオドの間くらいだと思えばいいですね。ちょっと一呼**

明治の翻訳者たちはガンガン新しい言葉を作っていてすごいなあ、と思うけど、セミコロン、コロンに相当するものも作ってほしかった……二葉亭などが白抜きの「テン」をセミコロン的に使ってるんだけど、これはさすがに見づらい。

74

吸あける感じ。

　それに対してコロンというのは、「すなわち」「具体的には」というはっきりした意味があります。この場合〔The vegetable vendor raised her face: she was my grandmother.〕顔をあげた結果、具体的にどういうことがわかったかというと、「まさに私の祖母だった」という事実。

『翻訳教室』新書館／朝日文庫

30 perhaps の実現の程度

　辞書を引くと、probably というのは実現の程度が 70 パーセントくらいの確率だ、perhaps は 30 パーセントくらいだ、というふうに書いてあるんですね。原則はそうなんです。たしかに、probably と言って実は 30 パーセントくらいしか可能性がないということはあまりない。でも perhaps という言葉は、けっこう確信があるときでも

76

使う。いわゆる understatement
──あえて控えめに言って、かえっ
て説得力を強めるってことはある**ん**
ですね。…〈中略〉… 原則としては、perhaps
はほとんど maybe くらいの弱い意味であ
る。ただし、それが understatement であっ
て、実はほとんど確信しているという場合
もある。

『翻訳教室』新書館／朝日文庫

31

「コールテン」か「コーデュロイ」か

僕は普通に「コールテン」って言うけど、まあ僕はおしゃれじゃないからな（笑）。でもそう言えば僕も「コーデュロイ」と訳していますね。そういうどうでもいいことは、世の流れに合わせよう。ここはポジティブな、肯定的なイメージを打ち出したいから、あんまり野暮ったい響きのある言葉は避けた方がいいだろう。となると「コーデュロイ」か。**翻訳というのは自分の哲学や趣味を主張する場じゃないからね。**

　小津安二郎がこんなことを言っています。
「なんでもないことは流行に従う。重大なこ
とは道徳に従う。芸術のことは自分に従う」。
翻訳という作業は、その意味では「芸術の
こと」にはほとんど関係ない。まったく関
係ないっていうと語弊がありますが、**ほと
んどのことは「流行に従う」でいい。
長いものに巻かれるのが正しいと
いう場合がすごく多いですね。**

『翻訳教室』新書館／朝日文庫

32

かなり2だが2でなくても

・・・・・・・・・・・・・・・・・・・・・・・・・・・・・・・・

a fewはいくつなのか、というのもときどき
困ります。中学校では（50年以上前ですけど）
「二、三」と習ったけど、まず違いますよねえ。同じく
中学校のとき、quite a fewが「ごく少数」じゃなく
て「相当多い」の意味だと知ったときは「なぜだ!?」
と憤慨しました。

　現代英語の一般則として、この a couple of はけっこう訳しにくい。「二羽」と限定しちゃっていいかっていうと、辞書を引いてもよくわからない。原則として a couple of は、現代英語ではかなり「2」です。た**だ、「2」だっていうことがそんなに重要じゃないっていうか、何が何でも「2」でなきゃいけないという響きはない。** two とそこが違うのね。だからこういうときは「二羽ばかり」とか訳すのが無難です。

『翻訳教室』新書館／朝日文庫

neverの翻訳は難しい

neverと「決して」は全然違います。**never を「決して」と訳すことは実はほとんどない。どう訳したらいいか難しいことがけっこうあります。** たとえば We waited and waited a long time, but he never came というふうに、さんざん待ったのに来なかったという場合に日本語では「決して来なかった」とも「絶対来なかった」とも言わない。never は not ever だから、その場合は「いつまで経っても」くらいの意味。

『翻訳教室』新書館／朝日文庫

第 **3** 章

ぼくの翻訳手法
その2

34

翻訳に苦労する単語

何回行き当たっても、そのたびに適切な訳語が思いつかず苦労している気がする単語がいくつかあるものだが、そのひとつがfairである。英和辞典ではたいてい「公正な、公平な」といった訳語を第一に挙げている。それに従うなら、この"The bosses have always treated me fair"も、「ボスたちはわしをいままでつねに公正に扱ってくれた」とすればよさそうだが、これではしっくり来ない。…〈中略〉…そもそも「公正」という日本語が…〈中略〉…前提としているのは、**扱う側／扱われる側という、非対**

**等・非対称的な、いわば縦の関係で
ある。権力関係といってもよいだろ
う。**むろんこの英文でも、雇用者／被雇用
者という形で権力関係ははっきり存在して
いる。だがここで fair という英語において
前提とされているのは、**雇用者と被雇
用者の上に立つ、いわば超越的な
存在である。** その超越的な視点——何
なら神の視点といってもよい——から見て、
雇用者／被雇用者の関係が「正当」だと
言っているのである。

『シリーズ言語態2 創発的言語態』東京大学出版会

35

忠実さが仇になる

━━━━━━━━━━━━━━━━━━━

「体ごとぐるっと回すわけではない」と
いうことをすごくはっきりさせたいとき
は、look over one's shoulder を「首から上だけ
うしろに回す」などと訳したりも。

　たとえば、look over one's shoulder という言い方があって、前は僕も「肩越しに振り返る」って訳してたんですけれども、よく考えたら日本語では単に「振り返る」だろうとかね。つまり、日本語はそういうときにいちいち「肩越しに」とかいう言い方はしないわけですね。そういうところで何かこう、**忠実に訳しているつもりが実は、英語では自然な表現が、日本語では不自然になっていたりすることはある**ので、それを気をつけるとか、そういうことはしてますけどね。

『翻訳夜話』文春新書

36

ダジャレをどう訳すか

　小説の言語って、その前後の文脈とかなり密接に結びついているから、AはBであるというギャグをCはDであると置き換えて前後と破綻を来さないということはほとんどないです。そうするとやっぱり、その前後とのつながりを示すためにルビを使うことになります。たとえばひとつの単語が、あるところでAという意味になり、すぐあとではBという意味になり、そこでダジャレが成立するとする。その場合A、Bという

　どこかの書店でトークをやったときに、「ダジャレは翻訳でどう再現しますか」と訊かれ、「まあたいていはルビで処理します」と答えようとした矢先に「ルビとかで処理するのって最低ですよね」と言い足されて返答に窮しました。

日本語を書いて、そこに同じルビをふると
いう処理を僕はしますね。**笑いの再現
も大事だけれども、文脈を壊さない
ことのほうが大事と判断する**わけで
す。もちろん、だから理想的には、笑いの
強度もキープしつつ、文脈もぜんぜん乱れ
ないというのが理想ですけれども、うーん、
それがいつも可能かどうかは、少なくとも
僕の頭では無理なことが多いですね。

『翻訳夜話』文春新書

37 テキストが全て
<hr />

　その小説の中で固有名詞、なんでもいい
んですけど、車の名前が出てきたとして、
この車が高級車なのか安い車なのかで話が
変わってくるなと思ったら、それはどっち
なのか調べる必要がありますよね。そうい
うことはもちろん調べます。あるいはたと
えば、レストランに入って、このメニュー
で何ドルだとかあって、その何ドルという
のが高いか安いかで、その小説、そのシー
ンで違いが出てくると思えば、やっぱりそ
の時代の物価を調べたりとか、そういうよ

　ずっと前、『優雅で感傷的な日本野球』を出したばか
りの高橋源一郎さんが、イギリスの作家ジュリ
アン・バーンズと誌上往復書簡をやったとき、バーンズ
が「私は野球のことはわからないけれど、誰か野球につ
いて情熱をもって書いたら、そのよさはわかると思いた
い」というようなことを言っていました。

うなことも必要になるでしょうね。うーん、でも、そういうのって、そんなに大きな部分ではないような気が僕はするんですよね。そりゃ調べますよ、調べるけど、そういうことをコツコツやるのが翻訳道だ（笑）みたいな言い方はしたくない。**いちばん大事なところはテキストに書いてなければ嘘だ、というか、テキストから読み込めなければ嘘だろうという気はするんですよね。**

『翻訳夜話』文春新書

38

しっくりくる言葉しか使えない

　日本語を磨きましょうという言い方をよく目にするんですけど、どうも何か違和感があるんですね、僕は。何でなのかなあ、**所詮自分の使える日本語しか上手く文章にはのらない**ということを痛感するんです。たとえば、文章を練るうえで類義語辞典というのは、必須なわけですね、よく使うわけです。それで、このＡという言葉ではしっくりこないから何かないかなと思って辞書使いますよね。そうするとＢという類義語があって、これは自分ではあまり使わない言葉だけど、おーいいじゃないと思って使うでしょう。それで次の日に読み直してみると、やっぱりそこだけ浮いてるということがもの

すごく多いんです。**だから結局、自分にしっく
りくる言葉には限りがあって、それを活用す
るしかないな**というふうに思うことが多いです。
だからもちろん、自分に使える言葉を豊かにするた
めに、いわゆる日本語を磨く、いい文章をたくさん
読むというのは、原理的には大事だと思うんですけ
れども、そうやっていわば下心をもって、いわゆる
美しい日本語を読むことを自分に強いても、そう上
手く自分のなかには染み込まないんじゃないかと思
うんです。というか、そう思いたい。あとね、何で
僕がそういう磨くとか鍛えるとかいう考え方がいや
かというと、僕にとって翻訳は遊びなんですよ。

『翻訳夜話』文春新書

39

狭いながらも楽しいわが家

　一般に、アメリカ人は何かを肯定すると
き、それを全面的に肯定する表現を好む。
否定的要素はあえて口にしないか、むしろ
肯定的要素に読みかえて（「狭い」ではなく
cozy として）表現する。彼らにとって、狭
いわが家、と言ってしまったら、それはも
はや楽しいものではないのだ。

　逆に日本人は、「……ながらも」「……で
はあれ」というふうに、むしろ何らかの限
定を加えて肯定することを好む。いって
みれば、**百パーセントの幸福よりも、
「……だけど、でも、ま、いいか」と
自分に言い聞かせる部分があった
ほうが、幸福としてリアルなのだ。**

『生半可な學者』白水Uブックス

40

Happy Birthday, Sweet Sixteen

　ロックンロールの世界では、16歳の誕生日は本当に大切な瞬間である …〈中略〉… これがHappy Birthday, Sweet Fifteenではまるでサマにならない。Fourteen Candles も駄目だし、Sweet Little Thirteen も駄目。ロックンロールの世界にあって、**15歳と16歳のあいだには、けっして越えることのできない深い溝が存在する。**

　けれどもう、ロックンロールも現在進行形の音楽ではなくなってしまった。いまやそれはノスタルジアの対象でしかない。それとともに、ロックンロールが歌っていた、年齢の一歳一歳にとてつもなく重い意味があった世界も、もはや消滅してしまったように思える。

『生半可な學者』白水Uブックス

41

日本国憲法の英文版に思う

前文には、we（私たち、われわれ）という語が出てきて、誰が語っているかはっきり分かります。第9条にも Japanese people（日本の人びと）という主語が出てきます。しかしそれ以外の条文では、**we や Japanese people は出てこない。この憲法は誰が語っているんだろう。そしてそれは、大日本帝国憲法とどう違うんだろう**、という興味を持ちました。

英語教師の視点で見ると、この憲法は shall の

日本国憲法英文版を訳したとき、people という言葉も気になりました。「国民」「人びと」「市民」……どれもピッタリは重ならないですよね。

使い方の教科書のようなものです。ほとんどすべての条文で、shall という助動詞が使われています。shall は、「私がこの人にこうさせるんだ」「これは、このように私が取りはからうんだ」というように、語り手の意志を表わします。ですから、主語はほとんど出てきていないけれども、**隠れた語り手として常に「われわれ」がいる**のかなと思いながら訳しました。

『現代語訳でよむ 日本の憲法』アルク

42 オバマがいたアメリカ
~~~~~~~~~~~~~~~~~~~~~~~~

　演説の英語について言うなら、スピーチ
ライターもいるわけだし、これを全面的に
バラク・オバマの言葉というふうに見るこ
とはできないにせよ、オバマとその周りの
人々が、自分を（自分たちのリーダーを）
どう提示したいかは感じとれる。訳してい
て、**自分がなるべく抽象語・漢語を
使わずに平易な言葉を使って訳そ
うとしているのが自覚できた。**冒頭の

　　"I stand here today humbled by the task
　　before us ..." というオバマ就任演説の冒
頭は、結局「今日ここに立つ私は、目の前に控えた
課題に、身の引き締まる思いです」と訳しました。

humbled を訳すにあたって「謙虚」という言葉を使いたくなかったのはその一例である（逆に、オバマが批判している者たちについては、すんなり漢語が使えた）。これは半分、僕の主観・先入観から来ているのかもしれないが、半分はたぶん、**この就任演説において、胸に届きやすい言葉が胸に届きやすい形で口にされていたことの表われでもあると思う。**

43

のびやかなアメリカ語
━━━━━━━━━━━━━━━━

　アメリカ英語っていうのは、イギリス英語と同じ英語だろうと思う人もいるでしょうが、感覚としては、少なくともアメリカ人にとっては全然違う。アメリカ人は自分たちの言葉、自分たちの文学がほしい、とずっと思っていて、実はこの、**全然勉強とかしてない、ほとんど浮浪児みたいな子**［ハックルベリー・フィンのこと］**がしゃべる間違いだらけの言葉が、ひょっと**

したら一番アメリカ語かも、というこ
とを読者がだんだんわかってきたわけです。
そのときはそんな意識ではマーク・トウェ
インは書いてなかったと思いますけれども、
結局この本が、**アメリカ独自の声を
持った小説の出発点となり、実は出
発点だけではなくて、いまだに一番
のびやかにアメリカ語をしゃべって
いる本なんですね。**

TBSラジオ「アフター6ジャンクション」

44

耳を澄まして

　この小説〔『ハックルベリー・フィンの冒けん』〕に限らず、翻訳しているときは、**こいつはどう喋っているのかと耳を澄まして、聴こえてくるものを書き取っている**という感じなんですね。で、**良い小説のほうがくっきり聴こえてくる**んです。だから良い小説のほうがむしろ訳しやすい。大衆小説の紋切り型に乗っかった、ボイスが定まってない小説からはそうしたものが聴こえてこないので、むしろ訳しにくい。その意味ではこんなに訳しやすい小説はないとも言えます。幸い英語はそんなに難しくないしね。

「週刊読書人ウェブ」

45

16歳の少年のしゃべり方

　サリンジャーの小説でうまいと思うのは、ホールデンの語彙はそんなに多くない、同じ言葉を繰り返して使うんだけど、文脈によってけっこう色合いが違う。極端な例は、kill をいう言葉を、It killed me みたいな使い方をして、「まいったね」と言っておいて、そのすぐ後か前かで、「鞄が落ちてきてもう少しで死ぬところだったぜ」と、そこでも it nearly killed me と言ったりしている。同じ kill という言葉が、今度は文字通りに使われているわけです。**普通そういうのっ**

て、いわゆるいい文章ではしないこ
とです。でも16歳の子どもがしゃ
べっているということで、そういうの
をむしろ自然なこととして取り込ん
でいる。作家が下手なんじゃなくて、16歳
の少年のしゃべり方を作家が上手につくっ
ているのがよくわかるような形でやってい
る。といって、ホールデンが嫌っているよ
うな、いかにも自分のうまさがわかってい
るようなわざとらしいうまさでもなくて、
あくまで自然なんですね。

『翻訳夜話2 サリンジャー戦記』文春新書

46 間違った英語を訳す

　　**間違ってる英語、間違いを訳すっ
ていうのは何より難しいです。** 原文で
あれば、もちろん間違いは作者の意図だと
思ってもらえるんですけれど、翻訳で何か
間違いを再現しようとしても、この翻訳者
は頭が悪いんじゃないだろうかとしか思っ
てもらえないことがすごく多いんですね。
この例〔バーナード・マラマッドの"Idiots First"より引用〕
は、ユダヤ系のアメリカ一世の人たち、ヨー
ロッパからアメリカに移ってきて、母語は
ユダヤ人が日常的に使っているイディッ
シュ語で、大人になってからたどたどしい

英語を覚えたっていう人たち。…〈中略〉…**英語が間違っていることによる雄弁さ、訥弁さによる雄弁さ**があるわけです。間違っているということが、言葉も自由にならない国でずっと苦労してきたっていうことを間接的に伝えているのですが、そういうものは本当に翻訳しづらいです。これを英語と同じくらい間違った形に翻訳できればいいんですけれども、その方法をまだ僕は見出してなくて、また他の翻訳者の翻訳でも見たことがなくて、どうしても翻訳の方が正しくなってしまいます。

「夏の文学教室」2019年講演

47

不透明さも作品の一部

————————————————

　翻訳の際、作者に意図を訊くか訊かないかということを、よく問われますが、訊かないです。ある作品について、よくわからないこと、不透明な部分があるとすれば、その不透明さも作品の一部だと思うから。それが英語圏の読者には明らかに透明なはずだと思ったら訊きます。たとえばこの固有名詞は何て発音するのかとは訊きますけ

　あなたはこの作品で何が言いたかったのか、と作者に問うのは一種の侮辱、少なくとも批判、だと思う。面白ければ「何が言いたかったのか」という問いは出てこない。「何が言いたいかわかってたら、小説なんて面倒なものは書かずに、最初からそれを言ってるよ」とあるアメリカの作家は言っていました。

れども、不透明さを説明してもらおうとは
思ったことはないし、そもそも読み手とい
うのは、普通、作者には会えないわけです
よね。**読み手代表である翻訳者とい
うのも、それと同じように、やっぱり
そこに書かれている言葉がすべて
だと思うんですね。**

『小川洋子対話集』幻冬舎文庫

48

漢語と和語のせめぎ合い

　漢語と和語のせめぎ合いという問題は、現代の翻訳でも、少なくとも英語の翻訳に関する限り変わっていません。英語は主に二つの言語から成り立っていて、ブリテン島でもともと使われていたシンプルなアングロサクソン語がまずあって、そこに征服民族のラテン語、フランス語が入ってくる。たとえば、「得る」はアングロサクソン系の英語だと get ですが、ラテン語起源の語では obtain とか acquire などがあ

　漢語より和語の方が偉い、というわけじゃないんですけど、ややもすると漢語に流れてしまいがち、ということはあります。なので、42にあったように、バラク・オバマの言葉を訳すときに、不用意に漢語は使うまい、と気をつけたのだと思う。

る。この対比は、大和言葉と漢語の対比と
ほぼ同じだと思います。だから、英語から
翻訳する時に、get や have だったら「得
る」「持つ」ですが、acquire だったら「獲
得する」、possess だったら「所有する」と
訳し分ける。もちろん文脈でいくらでも変わって
きますが、そういう原則はしっかりあるべきです。
案外問題にされないことですが。

49　13万語中の31回

　たとえば英語から日本語に翻訳するとき
に、同じ単語にはつねに同じ訳語を当てな
くてはいけないかというとかならずしもそ
ういうことはなくて、そんなことを言った
らじゃあ the はつねに「その」と訳すのか、
という話になってしまうのだが、その反面、
**作品のなかでその単語の反復があ
る程度目立っている、気になる、意
味ありげである、という場合にはた
しかに同じ訳語を当てるのが望ま
しいだろう。**

同時代のほかのイギリス小説で較べてみると、ワイ
ルドの『ドリアン・グレイの肖像』は8万語で3回、
ハーディの『日陰者ジュード』は14.5万語で1回のみ。

　先日ゲラを受けとったジョゼフ・コンラッドの『ロード・ジム』（※その後2011年に河出書房新社から刊行）におけるsombreという言葉は、その意味でいうとボーダーラインで、いまだに迷っている。そんなに珍しい言葉ではないから、長い小説ともなれば何度か出てきても当然なのだが、Project Gutenbergを使って調べてみると約13万語中の31回、やっぱりやや多い気がする（sombrely, sombrenessといった副詞形・名詞形も含む）。

『佐藤君と柴田君の逆襲!!』河出書房新社

50

一字あけがうらやましい

詩を訳すときいつも思うのは、「一字あけを使えるのはいいなあ」ということである。小説を訳していて、ここを一字あけられたらずっと明快になるのになあ、と何度思ったことか（なので、翻訳の授業をやっていて、学生が——特に手書き原稿で——一字あけたりしていると、禁じ手を使うな！と口をきわめて罵る）。考えてみれば、英語では詩だろうが散文だろ

うが「一字あけ」なんてないのだから（というか、すべての単語のあいだが「一字あけ」だとも言える）、「詩では一字あけが使える」と決めるのも変な話だが、日本語の詩にそういう習慣があるのだし、それで「原文を読んだ際の快感の伝達」（これが僕にとっての「翻訳」の定義である）に少しでも役立つなら、使わない手はない。

『佐藤君と柴田君の逆襲!!』河出書房新社

51 翻訳スタイルって

　一つの作品を訳すうえでもやっぱり、第一稿はスタイルがまとまってないですよね。で、やっていくうちに、あっそうだ、この文章は、要するにこういうふうに訳されるべきなんだというのが、練っているうちに見えてくることっていうのがあると思う。そういう意味でも、一つ一つの作品に、なんというのかな、**もともと自分が持っているスタイルをそれに押しつけるん**

　だから長篇をひととおり最後まで訳して、1ページ目に戻って推敲を始めると、最初の1〜2ページはほとんど真っ赤になります。こんなにわかってなかったのか、と思う反面、いまはこんなにこの小説のスタイルが体にしみ込んだのか、と思うと嬉しくなります。

じゃなくて、書いているうちにその文章そのもののスタイルがだんだんと立ち上がってくるみたいなふうになるのが理想だと思うんですよ。

その中でもう自分色が出ちゃうのは、それはむしろ、しょうがないことぐらいに思うべきで、自分のスタイルというものを確立しなきゃみたいに考えるべきではないだろうと思うんですよね。

『翻訳夜話』文春新書

第4章

ぼくが考える
翻訳という仕事

52

原文を見ずに訳す

　調子が乗っているときは、長いセンテンスは文末まで見ずに訳していきますね。5〜6行もあるような長いセンテンスを後ろから訳していくと、だいたいろくなことがないので、少なくともブロックごとには、英語と同じ順番にしていきます。後ろのものを前に持ってこないとうまくいかないとわかれば、その時点で書き直

せばいいんです。ともかく、長いセンテンスは、終わりまで見る必要はない。気持ちがすでに作品に入り込んでいて、先のトーンもある程度わかっているときは、そんな感じです。**英語の1センテンスに日本語の1センテンスが対応するというのではなく、1行1行の「流れ」を再現していくイメージです。**

「光村図書」ウェブサイト　作者・筆者インタビュー

53

頭のいい人は翻訳に向かない

文学であれば、そのおかしな言い回しによって別の味わいが生じることもあると思いますが、例えば、社会科学の本なんかは、翻訳がまずいと、とにかく論理的に何を言っているのかわからなくなる。僕は頭が悪いから、ちょっと翻訳がまずいと、もうわからなくなってしまう。そういう思いを読者にさせたくないから、**とにかく無駄**

あと、原文を読んだだけで完璧にわかった気になれる人も向かないと思う。そうじゃなくてよかったです。

126

にわかりにくい訳は避けようと気を
つけますね。翻訳って、「わからない
と思った」という経験がある人のほ
うが、ちゃんとやる気になると思う。
だから、下手な訳文でもわかってしまう頭
のいい人は、翻訳には向かないかもしれ
ない。

「光村図書」ウェブサイト　作者・筆者インタビュー

54

翻訳は誰でもできる、ある程度は。

　翻訳って、ある程度は、誰でもできるものだと思いますよ。読者の目で見れば、自分の訳が変かどうかはわかるはずじゃないですか。だから、自分の中の読者からの文句に応じる「マメさ」と、原文の感覚がどういう手触りかがわかる「語学力」があれば、誰でもできるんです。

　でも、これはだんだんわかってきたこと

なのですが、語学力がある人はわりといるんですよね。むしろ、**自分の訳文を練っていくマメさ**というのに、性格の向き・不向きがある気がします。それから、**他にもっとやりたいことがない、つまらない人生を送っているというのも大きな要素かもしれませんね（笑）。**これがそろえば、誰でもできる。

「光村図書」ウェブサイト　作者・筆者インタビュー

55

下訳使うなんて信じられない

　たくさんやると、一つ一つは雑にやっているんだろうなと思われたり、「やっぱり下訳とか使うわけですか」って言われるとすごくむかつきますね。**「何で他人に自分に代わって遊んでもらわなきゃいけないのか」**ってね。村上春樹さんも言ってますけど、「何で一番楽しい部分を他人にやってもらうのか理解できない」って。

『小説の読み方、書き方、訳し方』河出文庫

56

どんどん訳が出てくる

　僕は完全に朝型で、朝はあまり考えない
でも〔訳が〕出てくるからいいんです。朝か
らずっとやってると、ランナーズ・ハイみ
たいになるので、本当は一日中やっていた
い（笑）。そうすると考えなくてもどんどん
出てくる。読んでいる時だってそうじゃな
いですか、**ノッて読んでたら、「この行
がこう来たら次はこうだろう」って、**

ほとんどもう全部見えるような時が
あるでしょう。翻訳もああいう感じ
になってくる。もちろんそのためには好
きなものだけを訳すようにしないと駄目で
す。嫌なものを訳すと「どうしてこの人は
こういうことを書かねばならなかったのだ
ろう」とかいちいち考えてしまうから。

『小説の読み方、書き方、訳し方』河出文庫

57

職業適性検査の結果

　中学の時に職業適性検査というのをやったんですが、僕の適性とやりたいことがまったく合わないんです。**適性はもう事務能力が抜群で（笑）。事務の仕事に就いたらいいって結果が出てくるわけです。やりたいことっていうのは、芸術とかそういうことなわけですよね。**結局今、翻訳をやっているっていうのは、翻訳って事務能力の問題だという面もすごく大きいので、それを生かしつつ、芸術に間接的に関わっている、ってちゃんと（理屈が通ってる）。

『小説の読み方、書き方、訳し方』河出文庫

58

柴田元幸の「翻訳以前」

「モーガン」の英文が載っていたのは、培風
館から出ていた『英文解釈問題集』。高校の
副読本としてこの問題集を与えられて、翻訳に開
眼しました。あの問題集がなかったら、けっこう
違う人生だったかも……。

　ほんとに受験参考書に載ってる英語しか読まなかったです。参考書に小説的な文章が出てくるとたしかに好きだったけど、何も知らなくて、**このモーガンって人はなんか辛気くさいなあとか思ってた。サマセット・モーム（Maugham）のことなんですが（笑）。**

『小説の読み方、書き方、訳し方』河出文庫

59

読むスピードで訳す

（翻訳するスピードは）意識して速くあろうともしているんです。ゆっくり訳すとどうしてもセンテンス単位で訳してしまうけれど、読者は文章の流れで読むわけだから、個々のセンテンスが自己完結していてはダメなんです。**読むときの感覚、ノリを訳文で再現するためにも速く訳すべき**で、速いから雑ということではないですよ。

「出版翻訳データベース」ウェブサイト

60

とりあえず先へ

　仕事の効率って、学生なんかを見ていても、かけた時間と結果とをグラフにすると、最初はあまり結果が出ないである時間経ってから一気に伸びる人と、最初からボーンと結果が出てそれ以上かけてもあまり変わらない人がいて、僕はもう圧倒的に後者なので、何かについてじっくり考えるとかじっくり話すとかして実りがあったことは

それに、先へ進めば文脈もよりよく見えてきて、さっきはわからなったことがパッとわかる、ということも多々あります。

ないですね。パッと思ってパッとやる。翻訳についても、**一節をじっくり考えるよりは、ちょっと考えて出なかったらもう考えてもしょうがない、とりあえず先へ行って次の日にまた全然違う頭で考えてパッと浮かぶのを待つ、**というふうにした方がいい。

「文藝」2009年春号　河出書房新社

61

時代にあった訳の弱さ

━━━━━━━━━━━━━━━━━━━━━

もちろん意識して時代に合った訳を作る、
ということではありません（できないし）。
シバタさんの訳は時代に合ってますよね、と言わ
れると不安になる、という話。

　今の時代にあった訳というのは、次の時代には受け入れられないということかもしれない。だから自分の需要が、将来も当然あるものとしては考えていません。**高校生に受け入れてもらえると、次の時代くらいはまだイケるかなって**思うけど（笑）

「出版翻訳データベース」ウェブサイト

62

そこに愛はあるか

▶▶▶▶▶▶▶▶▶▶▶▶▶▶▶▶▶▶▶▶▶

　英米で書かれる、翻訳書の書評で、しば
しば "labo(u)r of love" という表現に行き
あたる。日本語で言えば「労作」だろうか。
翻訳者の努力をたたえる（そしてしばしば、
その労作を読破した自分の努力もついでに
たたえているらしい）決まり文句だが、翻
訳者の実感を言うなら、**およそ訳すに
値すると思える文章を翻訳する行
為はすべて、まさにlabor of love
と呼ぶほかない営みであり、そうで
なくてはならない**（個人的なことを言
えば、僕自身、いままで自分の翻訳につい
て受けたコメントでもっともつらかったの

は、某書の読者カードに書いてあった「訳者は、著者に愛情がないように思えた」というコメントである)。

ミもフタもない言い方をしてしまおう。原テクストに対する敬意、愛情を問題にしない翻訳論は、僕にはすべて空しく感じられる。原文を「聖なる原典」と捉えることをやめてみるのはひとつの見識だろう。だが、**原文を「聖なる」ものと感じないのであれば、少なくとも文学の翻訳に関する限り、翻訳なんかやったって仕方ない**のである。

『シリーズ言語態2 創発的言語態』東京大学出版会

63

食べてもらえない料理を作るのは

　読者がいないと、**誰も食べてくれないのに一生懸命料理作るみたいな空しさを感じちゃう**と思う。読んでくれた人がおもしろかったと言ってくれるのはすごく励みになります。とにかく自分は、**世の中に、とまでは言わなくとも少なくともこの人たちに対しては、害悪や不快ではなく快をばらまいたんだなと思える**のは、僕にとってすごく大きな意味があります。

『翻訳夜話』文春新書

64

寝ている間に働く小人

実際、時差の関係で英米の作家が寝てるときに
こっちは働くし、スティーヴン・ミルハウザーや
リチャード・パワーズみたいに2メートル近くある人か
ら見えれば僕（157cm）なんかほんとに小人です。／た
だし、作家に質問するときは気をつけないといけません。
間抜けなことを訊いて「こいつ、大丈夫かな」と思われて
しまったら、友好的気分も猜疑心に変貌しかねない。

翻訳をはじめてわかったんですけど、ほとんどの作家は、訳者の質問にとても親切に丁寧に答えてくれます。彼らは批評家に対してはやっぱり、半分敵、半分味方と思っているようなところがあって、非常に警戒的な態度をとるんですけれども、翻訳者っていうのは、何かね、**自分が寝ている間に働いてくれる小人みたいに考えているんじゃないかな（笑）**。すごく好意的です、みんな。翻訳をやっていて思いもしなかった嬉しいことは、**とにかく作者がみんなすごく友好的である**ということですね。

『翻訳夜話』文春新書

65

辞書に謝辞を!

　いうまでもなく、ただ単に辞書に載って
いる定義をつなぎ合わせたところで、翻訳
として通用する文章が出てくるわけではな
い。ある意味では、辞書の定義からどこま
で自由に離れられるかが、翻訳者の腕の見
せどころとも言える。

　だがそういう偉そうなことを言っていら
れるのも、まずは辞書の的確な定義と説明
が土台にあっての話である。たとえて言う
なら辞書は電源である。電源が切れ

　　　もちろん『リーダーズ英和辞典』『リーダーズ・
　　　プラス』(ともに研究社) のことです。

てしまえば、優秀な器材もただの鉄クズである。 翻訳書の「訳者あとがき」にはよく、「○○については誰々氏にかずかずの貴重な御教示をいただいた」といった文句が書いてある（僕も書く）。けれど本当は、何よりもまず、**「あらゆることについて何々辞典に無数の御教示をいただいた」**と、自分の愛用辞書に謝辞を述べてしかるべきなのである。

『生半可な學者』白水Uブックス

66

おなかで訳す

▼▼▼▼▼▼▼▼▼▼▼▼▼▼▼

　僕は翻訳をするときに常に「身体」で言葉を使い、訳していくことを意識するようにしています。**身体で訳していると感じられるとき、つまり頭だけを使っていないと感じられるときのほうが、翻訳がうまくいくのを感じるからです。**日常生活において、いかにも頭のみで言葉を操っているなというときと、おなかなど身体を使って言葉を使えているな、というときの感覚の違いは、僕に限らず誰に

でも経験があると思います。知識も「頭」につくのではなく、「身」につくと言いますよね。

翻訳には文化的な背景や文法などの知識も必要ですが、それらも要するに、頭を使わないで訳すようにするためです。文法を知っていれば「この that はどこにかかるのか」ということを考えずに読めるので、その分、身体を使う余地が増えるのです。

『じぶんの学びの見つけ方』フィルムアート社

67

好きじゃなきゃ訳さない

ごくたまに、いまひとつ共感できない文章を訳す破目になると、いつもより雑に訳している自分を見出します（と、なぜか翻訳調）。アンタの言いたいのはまあだいたいこんなとこだよね、という感じに、適当に片付けちゃえという気持ちが出てしまうのだと思います。

翻訳とは自分がその小説を読んだときの快感を相手に伝えることだと考えています。**だから好きになれない小説を訳すことは一切ありません。好きではない小説には快感がないので、それを訳すというのは僕にとってあり得ないことなのです。**

『じぶんの学びの見つけ方』フィルムアート社

68 私の職業病

　白状すると、僕自身、ごく一部の例外を除いて、少なくとも現代の英語圏小説の翻訳書はまず読まない。翻訳の方が圧倒的に時間の節約になるのはわかっていても、それでも、**翻訳を読むのは何か損をした気がしてしまうのだ。**どんなにすぐれた翻訳でも、何かはつねに失われている。あるいは変わっている。もちろんいい感じ

 翻訳で読むのが「損」なのであれば、英語以外で書かれた作品の英訳を読むのも損をしたことになるはずなんだけど、それはそう思わないのは、やっぱり英語かぶれなんですかね。ひところ、東欧・中欧の小説を Michael Henry Heim という人が英訳したものを見つけると何でも読みました。この人は素晴らしいです。この人に習った人の話を聞くと、教師としても素晴らしかったらしい。*The Man Between* と題して、教え子たちがこの人を讃えた本まで出ています。

に変わっていることもあれば嫌な感じに変わっていることもあるにちがいなく、その差は決して小さくないが、とにかく原文そのままではありえない。僕の場合、翻訳者の一種の職業病として、その「損をしている」部分がことさら気になってしまうのである。

『二〇世紀アメリカ文学を学ぶ人のために』世界思想社

69

期待が低いと幸福を感じられる

この最後の一文、朝日新聞朝刊、
鷲田清一さんの「折々のことば」
でも取り上げてもらいました。

〔筋の通らないことには〕ムカつかないです。小さいころから、世界は筋が通らない場所だと思っていたから。それと、自分は世界に求められていない、という思いもずっとあった。…〈中略〉…僕が翻訳を始めたのは35歳のころですが、**いまだに僕がやっている仕事で誰かが喜んでくれるというのは、すごく新鮮でうれしいことです。**世界に対する期待が低いと、幸福を感じるのもわりとかんたんなのかもしれません。

「不登校新聞」全国不登校新聞社／『学校に行きたくない君へ』ポプラ社

第5章

ぼくの翻訳の教え方

70

むにゃむにゃよりちょっと良くする

……なんて言うと、いかにも何を教えた
らいいかわかってるみたいですが、そう
ではありません。翻訳についてはまあある程度
わかっているけど、小説の読み方となると、
こっちも依然として暗中模索。

　英文科の教師にはそれぞれの役割が何と
なく決まっています。一番上の層をさらに
伸ばす人間も必要だけど、ぼくの役割は
知的な中流階級を引っ張り上げるこ
とだと思う。むにゃむにゃの人を、むにゃ
むにゃよりちょっと良くするというか。

「出版翻訳データベース」ウェブサイト

71

教師が学生に教えるべきこと

まあとにかく情報の提供という
こと。あとは、学生たちの発言
の可能性の中心を引き出すこと。

　小説を読むにしても、翻訳を読むにして
も、まず初めに教師としてしっかり提供す
べきは、**英語圏の読者だったらだい
たいどう感じるかということや、語学
的に正しいか間違っているかという
こと**だと思っています。

「光村図書」ウェブサイト　作者・筆者インタビュー

72

『ロングマン英和辞典』が良い理由

自分が監修者の一人なので宣伝になってしまうのですが、この英和辞典、学習用には本当にいいです。現代英語で本当に使われる用法に限定されていて、しかも頻度の高い順に定義が並べられ、例文にも頻度の高い表現が使われています。

　日本の辞書って、よく使う用例もあまり使わない用例も、なんでも全部並べがちなんですよね。いい辞書は、切り捨てがきちんとしてある。そういうことが大事なんです。「何が載っているか」ということが問題にされることが多いけれど、**学習用の辞書に関しては、「何が捨ててあるか」のほうがむしろ大事**なんですよね。

「光村図書」ウェブサイト　作者・筆者インタビュー

よく読めるようになる、とは

　僕にとって、学部生でも院生でも、学生がよく読めるようになるというのは、**お腹のあたりにもともと潜在しているその人のバイアスが、そのまま言葉として出てくるようになる**ということなんですよね。**余計な紋切り型や正解に回収されてしまわずに。**それまで

は、客観的にはいちおう正しいといえそう
な、でも人を退屈させるようなことを言っ
たり書いたりしていた人が、だんだん自分
の、村上さんがおっしゃるような意味での
「偏見」を出していくというのが、僕から
見た「よく読めるようになる」ということ
です。

『翻訳夜話』文春新書

74

読点は人格上の問題だ

　僕、このごろますます感じるのは、やっ
ぱり黙読してても呼吸はしてるんだなと思
うんですよね。翻訳の授業をやっていても、
ここに点を打て、全体に読点をもっと工夫
しろとか、とにかくそればっかり言ってる
んですよね。こないだなんか、「この授業
では、読点は人格上の問題だ」とまで宣言

60代に入って、少し読点が増えてきた気がし
ます。年をとって呼吸が短くなってきたこと
の表われだろうか、と考えるとちょっと辛いですが、
でもちゃんとそれが翻訳に反映されるんだ、やっぱ
りちゃんと体で訳してるんだ、と思えるという意味
ではちょっと安心したり……これって他人にはまっ
たくどうでもいいことだろうなあ、とは思うけど。

した。そのへんが学生の翻訳を読んでいて、いちばん物足りない。いや、学生の翻訳だけじゃないね、**世に出ている翻訳でもその点にいちばん違和感がありますね。呼吸っていうことをちょっと軽視してるんじゃないか。**

『翻訳夜話』文春新書

75

基準は自分

〔どういう作品を教材に選ぶのか、と問われて〕まずは僕が読んで退屈しないということです（笑）。あとは受講する学生の男女比や21世紀に入ってからの小説とちょっと前の小説、みたいな年代のバランスもある程度は考えますけど、歴史的に重要であるといった面白さ以外の要素はほとんど考えないですね。つまり**「これはつまらないけど大事」というのはありません。とにかく僕**

が読んでつまらないのにそれを学生が面白がるかということは期待できないわけです。僕が面白いと思っても、学生にとって面白いとは限らないですけれども、それ以外に判断の基準は持てないですね。教師をやっていて一番痛感するんですけど、「僕は面白くないけど学生は面白がるに違いない」と思う予測ははずれます（笑）。

「東大ナビ」ウェブサイト　特集記事

76 受験勉強が役に立つ

　今の大学入試のことはあまり把握していないので分かんないけど受験英語って割と世間的には重箱の隅をつつくようなことを聞いているという印象があるじゃないですか。でも、重箱の隅を隅から隅までつっつくのがまさに翻訳の仕事なわけだよね。だからそこでは本当に細かい違いが、例えば、

翻訳は受験英語をきちんとやったことが報われる仕事です。もしかしたら唯一そう言える仕事かも。

なんで過去形じゃなくてhaveプラス過去分
詞を使うか、なんで現在形かとか、なんで
語順が普通だったらここにくる言葉がここ
にくるだとか、**まさにその重箱の隅を
つつく精神の積み重ねが翻訳では
大事なんですよね。**

「東大ナビ」ウェブサイト　特集記事

77

テスト答案と翻訳の違い

答案というのは結局原文が分かっている人に向けて書くんだけど、翻訳というのは原文が分かっていない人に向けて書くんですよね。そこは違いますよね。だから、「英語のニュアンスを100％伝えることは無理だ」という風に思い始めればそれは当然無理なんですよ。

100％伝わるなんてことはあり得ないので。
完全主義者に翻訳はできないですけど、そ
れを言い出すと翻訳に限らず人生100％何
かができるというのはあんまりない。でも
90％伝わるほうが70％伝わるよりいい。
**なるべく100％に近づけるために
工夫する。**

「東大ナビ」ウェブサイト　特集記事

和製英語は恥なのか

いわゆる「和製英語」の誤り、という問題について、これまで膨大な量の発言がなされてきた。いわく、夜間試合はナイターではなくナイトゲームである。いわく、直球はストレートではなくファーストボールである。テーブル・スピーチなる英語は存在しない、云々。

僕も英語教師の一人として、これら英語の誤用を憤り、嘆いてきた——と言いたいところだが全然そんなことはなくて、**正直なところどうでもいいと思っている**。…〈中略〉…

178

　こういうことを言うと、「しかし、いい加減な英語を使っているのを外国人に知られたら恥だ」といったような反論が出てくる。でも日本の恥なんて、もっと大きいのがほかにたくさんあるはずである。英語の使い方がちょっとくらい間違っているからといって、日本人を見下すような人がいるとすれば、それはその人が狭量なのである。**僕の知っている英語圏の人々はそんなセコいことは言わない。彼らはただ、面白がるだけだ。**

『生半可な學者』白水Uブックス

79

たらこスパゲティの出現

　文化と文化が交われば、そこには良い結合も生まれうるし、悪い結合も生まれうる。いまでは喫茶店の定番となりその衝撃力もすっかり薄れてしまったが、たらこスパゲティが出現したときは、ノーベル賞ものの大発明とみんな思ったものだ。逆に、ひじきとクロワッサンとうどんと牛乳（これは某小学校の某日の給食メニュー）というのは、栄養的にはともかく、さすがに哀しい和洋折衷である。和製英語もそんな感じで、**いい和製英語とわるい和製英語がある、くらいに考えていればいいと思う。**

『生半可な學者』白水Uブックス

80

翻訳で一番大事なこと

　答えは毎日ころころ変わるんですけど、**やっぱり「語学力」ですね。**一番平凡なところに落ち着きましたが。昔は「愛情」だと思ったけど、語学力がなければ「ウソの愛情」ですね。

　語学力というのは、いわゆる英文解釈が正しくできるかどうかだけじゃなくて、トーンが「正しく聞こえるかどうか」ということです。くだけた言い方とか、改まった言い方とか、普通の言い方、普通じゃない言い方を見分けられる力ですね。

　例えば「I tell you.」という表現で、「だからさあ」と訳すのがふさわしい文脈で、「申し上げますが」と

逆に「翻訳はやっぱり語学力ですよね」と言われると、「いえいえ、日本語力も大事です」と言ったりするんですが。

訳しちゃダメなわけです。そういうのは英語が「聞こえていない」わけ。

そういう感覚を身につけるには、できるだけ量を読むしかないですね。あと、1カ月でいいから、英語圏に暮らした方がいいですね。「こういう時にはこう言うのか」という感覚が、少しでも暮らせば違ってくると思うんです。…〈中略〉… よく「翻訳は日本語力ですよね」という人がいますが、そう言われると「冗談じゃないよ」と言いたくなる。やはり「語学力」が大事だと思います。

「英語とEnglishをつなぐDHCの英語講座」

第**6**章

ぼくと村上春樹さんとの
お仕事

81

最高にラッキーな仕事

　こういう翻訳ができたらいいなあ、となんとなく憧れていたのは、藤本和子さんと村上春樹さん。藤本和子さんが訳したリチャード・ブローティガンの『アメリカの鱒釣り』を読んで、初めて翻訳本で文章自体が素晴らしいと思いました。今でも尊敬しています。

　村上春樹さんの翻訳も、藤本さんの影響を受けていると思います。村上さん本人も言っていますし、読めば一目瞭然です。

　そのうちに、人づてで村上さんの翻訳チェックの仕事をするようになったんです

岸本佐知子さんも藤本さんの翻訳に出会って翻訳観が変わったと言ってました。「藤本教信者」、すごく多いと思います。

が、これはもう最高にラッキーでしたね。村上さんは日本語が達者だし、小説の空気をつかむ力も素晴らしいんですが、受験英語的な文法とかがちょっと怪しいんですよね（笑）。そういうのをチェックするのが僕の仕事です。で、チェックするわけだから、当然じっくり訳文を読む。**それで、「ああ、こういうふうに訳せばいいのか」とかちゃっかり学習するわけ。お金をもらって、翻訳の勉強をさせてもらったようなものです。**

「英語とEnglishをつなぐDHCの英語講座」

82

まろやかなカーヴァー

　村上訳〔レイモンド・〕カーヴァーを読んで
ると、とにかく日本語と英語の違いをすご
く感じるんですよね。**英語は単語一つ
一つが分かれていて、硬質な単語が
ごつごつ石みたいにある感じなんだ
けど、日本語はどうしても流れになる
から、ごく表面的なところでは、カー**

ヴァーの文章のある種突き放したような暴力性みたいなものが、少しまろやかになる気がするんですね。でも、たぶんそれはすごく表面的なところであって、それこそ底流に流れてる何か訳のわからなさとか怖さみたいなものは、訳文でしっかり出ていると思います。

————————————————
『小説の読み方、書き方、訳し方』河出文庫

83

読者の要求の高まり

　そう思って過去の翻訳をあらためて見てみると、リズムの見事な翻訳者も大勢いることに気づきます。英語訳者だけでも、石井桃子、平井呈一、朱牟田夏雄、中野好夫……。

　村上春樹訳の功績は、藤本和子さんの訳を例外として、**文章のリズムで酔わせてもらうというようなことをあまり翻訳に期待していなかった読者が、そういうことも要求するようになった**ということはあるでしょうね。

『小説の読み方、書き方、訳し方』河出文庫

84

村上春樹の翻訳の特徴

　翻訳のクオリティーって基本的に三種類あると僕は思っていて、原文のトーンに近いように思える日本語のトーンに再現されているのがベストだとすると、原文のトーンとは違うんだけれども、日本語として一貫したトーンを持っている。別のトーンだけれども、とにかくトーンとして一貫している、というのがセカンドベストで、最悪なのは、もちろん原文にトーンがきちんとあると仮定してですけれども、日本語としてトーンもリズムもないような訳文という

ことですね。…〈中略〉…

　で、村上さんの翻訳をチェックさせてい
ただく場合には、何かご本人の前で言う
のもなんですけど、やっぱりその、原文の
トーンと、何が合っているかというのは実
は感覚的な話でしかないんですけれども、
**とにかく原文のトーンに合った日本
語になっていると思うので、作業は
すごく楽です。本当に英文解釈的
なまちがいについてだけ口を出せ
ばいいので。**

『翻訳夜話』文春新書

85

誤訳を指摘されると

人間って、誤訳を指摘されるとまずみんな傷つくんですよね。…〈中略〉…たいていの人は技術的な問題であるにもかかわらず、なぜか人格の問題として捉えちゃってね、翻訳って。間違いをすっと認めるということがたいていの人にはなかなかできなくて、だから、僕が村上さんとやっているようなことを他

の人に対してやると、まずはその、**まち
がっているってことを指摘されたこ
とに傷ついて、立ち直るのにいちい
ち3.5秒ぐらいかかるわけですね
（笑）。** これがやっててかったるいのね。
だから、あまり他の人とはこの作業はやり
たくないですね。

『翻訳夜話』文春新書

86 キュウリみたいにクール

明らかにbullshitという表現を踏まえて
「牛の糞」という日本語を使っておられ
るのを見たときもおお！と思いました。

〔"cool as a cucumber" が村上訳で「キュウリみたいにクール」と訳して
あるのを見たときの驚きに触れて〕それが僕にしてみればコロ
ンブスの卵だったんですね。**何か日本語独自の
等価表現を見つけなければいけないような
気がしていたから。**

『翻訳夜話』文春新書

外国語で書き始める

ご存知の方も多いと思いますが、**村上春樹さんも第一作『風の歌を聴け』の最初の数ページを英語で書いていました。**まだ『風の歌を聴け』というタイトルも付いていなかった時点で、生まれて初めて小説を書いてみたはいいが、いかにも日本文学という感じがして嫌だなあと思った村上さんは、オリベッティのタイプライターを引っぱり出してきて、書き出しの数ページを英語で書いてみた。そうすると、**凝った表現を使えず、シンプル**

に語らざるをえない。それで日本文学臭さを抜くことができて、自分のスタイルに行き着くことができたと村上さんは言っています。二葉亭が1880年代にやったこと〔ロシア語経由で『浮雲』を書いた〕を、村上さんは1970年代にやっていた。二人とも、彼らから見て手垢の付いたスタイルから逃れようというときに、まず外国語で自分の文章を書いてみることを始めたというのは興味深いことだと思います。

腎臓移植？

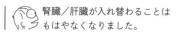

腎臓／肝臓が入れ替わることは
もはやなくなりました。

　フィッツジェラルドに限らず、筋が通ら
なかったり力が入りすぎてやたら重たく
なっている、普通の翻訳者ならきっと苦労
する箇所が、村上訳だとすごくしっかりし
た訳文になっていて、翻訳チェッカーとし
ては口を出すところがあまりない。反面、
すごく簡単なところでは、たとえば liver
が**腎臓になっていたり、**kidney が
肝臓になっていたり（笑）。

89

翻訳する作家たち

●●●●●●●●●●●●●●●●●●●●

鴎外はたとえばポオの「モルグ街の殺人」をドイツ語から重訳
していますが（「病院横町の殺人犯」）、巻末でこう断っています
──「此小説の首にはサア・トマス・ブラウンの語を『モツトオ』にし
て書いてある。それから分析的精神作用と云ふものに就いて、議論ら
しい事が大ぶ書いてある。それを訳者は除けてしまつた。原文で六ペ
エジ以上もある論文のやうな文章を、新小説の読者に読ませたら、途
中で驚いて跡を読まずに止めるだらうと思つたからである。そんな勝
手な削除なんぞをしては、原作者に済まぬと云ふ人があるかも知れな
い。併し人が読みさして読まずにしまふのも、原作者のために愉快で
はあるまい」。まあいちおう原作者のためと言ってるんだけど、なんだ
かあんまり敬意が感じられませんよね。

202

　日本の近代の作家でたくさん自作を書き、それと同じくらいの量を翻訳しているのは**村上春樹さんと森鷗外だけです。**村上さんは自分が愛するものだけを訳していて、これはわかりやすい態度です。でも鷗外は、これ別に大したことないんだけどねっていう感じで訳しているものもあります。

第 7 章

［番外編］

ぼくから若い人たちへの
メッセージ

90

好きだからそうする

▃▃▃▃▃▃▃▃▃▃▃▃▃▃▃▃▃▃▃▃

　他国の文学を学びあうことをはじめとして、文化交流を行なう理由は何だろうか。そもそも他言語の文学を学ぶというのは絶対必要なことだろうか。むろん、学ぶのと学ばないのとどちらがいいかということであれば、それは、学ぶに越したことはないだろう。学べばそれなりの効用があると期待していいかもしれない。たとえば、アメリカがイスラム文化圏ともっと文化交流に努めていれば、9.11のような事件も起きなかったはずだ、といった言い方を時おり耳にする。それはそうかもしれない。だが、文化交流が本当にテロリズムの歯止めになってくれるかどうか実はわかるわけがないのだし、**そもそも人**

はテロリズムを予防するために他国の文学を学んだりするのではない。そういう打算で文学が読まれるとすれば、文学に対して失礼だというほかない。だいいち読む方だって苦痛にちがいない。

　結局のところ、他国の文学を読み、学ぶことは、義務でもなければ、絶対必要なことでもない。そういうことをする人は、要するにそうしたいから、好きだから、そうするのである。他国の文学であれ自国の文学であれ、それが文学を読む唯一全面的に正しい理由である。

『異文化理解の視座』東京大学出版会

91

「身につく」学び

....

「自分の学びを深めていくためには大切」……すごいなあ、これ、絶対僕からは出てこないフレーズですね。インタビュアーの人がこちらの意を汲んで表現を高級にしてくれたんだと思う。まあでも「背伸びは大事」というのは本気でそう思ってます。

　他者からの学びが自分の「身につく」ような素地を作っていくためには、やはり普段から自分でコツコツと本を読み、感じていくことを繰り返していくしかないと思います。そのときに、楽しんで取り組んだほうが自分の身につくことは確かです。しかし一方で、少し背伸びをしてでも難しい批評を読んでみたり、難解な映画を観たり、という経験を積む中で、**無理にでも自分を引き上げていこうと努めることが、自分の学びを深めていくためには大切だと思っています。**

『じぶんの学びの見つけ方』フィルムアート社

92

原書と翻訳書、どちらを読むか

▼▼▼▼▼▼▼▼▼▼▼▼▼▼▼▼▼▼▼▼▼▼▼▼▼▼▼▼▼▼▼

で、結局どっちで読むべきか。これもどっち
がより大きな「快」を得られるかで決めれば
いいと思いますが、原書をまだ読んでみたことのな
い人には、読んでみたら？と言いたい。

　もしあなたがいちおう中学、高校と英語を勉強してきて、英語で書かれた小説にそれなりの興味があって、それなりに時間もあるのなら、原書を読むことに挑戦しない手はない。**受験勉強では、暗号を解読しているようにしか感じられなかったのが、好きな小説を読んでみて、内容が理解できたと感じられるときの快感は何ものにも代えがたい。**英文科の教師はみな、初めて通読した洋書が何であったか、ほとんど初恋の人の名のように覚えているものである（僕の場合は、George Orwell, *Nineteen Eighty-Four*）。

『二〇世紀アメリカ文学を学ぶ人のために』世界思想社

93

わからなくてもかまわない

━━━━━━━━━━━━━━━━━━━━━━━

　10代、20代のころは、まったく見えないですよ。たとえば尊敬している人が勧めてくれた本を読むと、**その本を自分がいいと思っているのか、尊敬している人が勧めてくれたからいいと思っているのかわからない。**でもそれがだんだん、あの人はこれがいいと言うけどやっぱり僕には合わないな、というのが実感として見えてくる。だけどそれは30代に入ってからで充分だと思います。

「不登校新聞」全国不登校新聞社／『学校に行きたくない君へ』ポプラ社

94

デジタル時代における言葉

桜の木を伐ったことを正直に告白した奴の話が国家的神話になるなんて何とつまらない国か、とオスカー・ワイルドはアメリカを腐しましたが、いまの大統領なんか、千本くらい伐りまくっといて「お父さん、僕は一本も伐ってません」とか平気で言いそうですよね……ワイルドはあの人のことをどう言っただろうか。

言葉は真実を伝えるためのものだという前提が今まではあったが、その前提がなくなってきている。 以前は「嘘をつけば世の中機能しない」という考えのもとに何らかの歯止めがあった。言葉を公の場で発する時には新聞や本があり、色々な人が関わることでチェック機能も働いていた。今はチェック機能なしで全世界に情報を流せる。実はチェックが働いていた方が幸運な状態だったのかもしれない。

「ニュースイッチ」ウェブサイト　日刊工業新聞

95

教養なんか身に付けても仕方ない

　　小説と教養がセットだった時代は過ぎた。**教養とは、人間のことを知ろうとする試み。しかし今は「人間の中身なんて知ってもしょうがない」というシニシズムがあるように思う。**これは健全なことかもしれない。実際に今、人間が地球に対して行なっていることを見ても、そんなに賢いとは思えないし。…〈中略〉…

　　人間を有り難がる姿勢が小説を支えていた。もうその前提が成り立たない。日本の

　　「仕方ない」というのは僕の意見ではないです。そういう空気があって、それを否定できる絶対的根拠はない、ということ。したがってもちろん、教養を身につけたい、と思う人を止める根拠もない。

場合、教養を身につけるという行為は明治の開国以来ずっとやってきた。そこには頑張れば物質的にも精神的にもより良くなれるはずだという大前提があった。今は、**教養を身に付けても別に良いことはないことが露呈して、教養として小説を読むことは義務でもなんでもない時代になった。でも好きな人しか小説を読まなくなっているのはある意味で健全。**

「ニュースイッチ」ウェブサイト　日刊工業新聞

96

不登校にならなかった理由
▼▼▼▼▼▼▼▼▼▼▼▼▼▼▼▼▼▼▼▼▼▼▼▼

翻訳とは全然関係ないけど、自宅と幼稚園のちょうど中点程度で固まってしまった僕を、幼稚園に無理に引っぱっても行かず、自宅に連れ帰りもせず、僕が動き出すのを気長に待っていた母は偉かった。

第 *7* 章

―――――――

［番外編］
ぼくから
若い人たちへの
メッセージ

　僕は度胸がなかったから不登校をしな
かっただけなのかもしれません（笑）。そ
もそも学校なんて好きじゃなかったし、幼
稚園のときは、はっきりと「行きたくない」
と言っていたそうです。

　不登校をそうやってロマンチックに思い
描いている部分もあるし、筋が通らないこ
とにムカつく潔癖な人が不登校に流れがち
だという気もする。**学校はかならずし
も筋が通る場所じゃないですからね。**

―――――――――――――――――――

「不登校新聞」全国不登校新聞社／『学校に行きたくない君へ』ポプラ社

97

ああいうのは聞き流していいと思う

**一つだけ言えるとすれば、「誰に
とっても絶対必要なものなどない」
ということです。**「若いうちにこれだけ
は」とか「目的意識を持って」と世間では
よく言ってますけど、ああいうのは聞き流
していいと思う。

　なにかを成し遂げようと思ったら、どう
してもほかのことは見えなくなる。無理に
目的を持つことはありません。もちろん、
やりたいことがあったらそれに向かって進
んでいけばいいんだけど。

「不登校新聞」全国不登校新聞社／『学校に行きたくない君へ』ポプラ社

98

学生時代にすべきこと

━━━━━━━━━━━━━━━━━━━

　まあ「そうはいっても」学生にはやることがあって忙しいだろうけど、この後やっぱり時間はどんどんなくなっていくのだよ（笑）。だから、**本でも長いものを読んでおくといいとは思いますね。** 僕はドストエフスキーを一通り読んで、トルストイの『アンナ・カレーニナ』を読んで『戦争と平和』にいく前にもう就職しちゃった

んだよね。それからずっと読んでないもん
ね。やっぱり、なんだかんだで時間はなく
なってくるので、選べるのであれば短いも
のより長いもの、あと古典ね。**やっぱり
古典を通して現代の作品を考える
ことはできるんですよね。**でも、現代
の作品を通して古典を考えるっていうのは
あんまりできない。

「東大ナビ」ウェブサイト　特集記事

99　見栄で読む

　自分があんまり（本を）読んでこなかっ
たものだから、ぜんぜん大きなことをいえ
ないんですけど。あと、見栄は結構役に立
つっていうか、このくらい読んでないと恥
ずかしいっていうか、そんな空気が周りに
あって、それで知的好奇心だけではなく、
ほんとに周りの人が読んでいて自分が読ん
でないのが恥ずかしいからっていう理由で
読むのも結構悪くない。

　好きなものばかりというのは同じものの
繰り返しになっちゃうから、**背伸びす
ることは必要で「あいつが読んでい**

第 7 章

──────────

［番外編］
ぼくから
若い人たちへの
メッセージ

るから」みたいな形で自分の外に出るのは大事で、しかも若いうちは伸びるので背伸びしたらその背丈になっていきますね。だから単なる見栄で、いろんなことやるのは悪くないね。

　若いころの方が、ほんとに何読んだり見たりしても沈み込むんだよね。学生のころ読んだ本は覚えていても、昨日読んだ本は覚えていない。という風にどんどんなっていきます。

「東大ナビ」ウェブサイト　特集記事

100

英語を読める喜び

––––––––––––––––––––

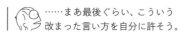……まあ最後ぐらい、こういう
改まった言い方を自分に許そう。

　翻訳を続けてきた僕にとっても、英語は
まだまだ勉強中の言語です。だから読める
ということだけで今も嬉しいと感じます。
僕が文学をやってきた根底には、**常に英
語という外国語を読めて、感動でき
ることの喜びがあり続けているの
です。**

『じぶんの学びの見つけ方』フィルムアート社

　最初のページからここまで読みとおしてくださった皆さん、おつきあいいただきありがとうございました。時間損したー！と皆さんが思われないことを祈ります。サァ私も／僕も翻訳するぞ！and/or 読むぞ！　という気になっていただけたなら、もう望外の喜びであります。

　ここから読みはじめられた皆さん、どうも、こんにちは。いつもなら、内田百閒にならって、「**この本のお話には、教訓はなんにも含まれて居りません**から、皆さんは安心して読んで下さい」（『王様の背中』）と申し上げるところなのですが、この本の場合、「**いくぶん教訓的効果（を意図したもの）**も含まれて居りますから、皆さんは若干気をつけて読んでください」と言うべきでしょうか。

　スコットランドの作家ジェームズ・ロバートソン

に、365と題した、文字どおり365本の作品を収め
た超短篇集があります。ロバートソンは2013年の1
月1日から12月31日まで、毎日一本、全部で365
本の短い小説を書きました。そして翌2014年1月1
日から毎日一本、それをウェブ上で発表していき、
同じ年の11月に、ずばり *365: Stories* と題して、日
にち順に並べて単行本として刊行したのです。で、
そのなかの11月12日の分は、"The Inadequacy of
Translation"（翻訳の不十分さ）と題された、翻訳者
にとってはとても切実な問題を扱った作品なのであ
ります。

　舞台はおそらくスコットランドです。スコットラ
ンドの伝統的な言語であるゲール語で詩を書いて
いる詩人が、語り手の勤務する大学へ朗読をしに
やって来る。といっても、自作をゲール語で読むだ
けでは駄目で、英訳もあわせて読まないといけない。

もはやスコットランドでも、ゲール語の話者はごくわずかであり、この会場にも一人としていないからです。ところが詩人は、訳文は「元の詩の真の意味も、真の響きも伝えていない」（"They did not convey either the true sense or the true sound of the originals"）と何度も嘆きます。この本の第1章で問題にした、翻訳というものがつねに「負け戦」であることに耐えられないわけですね。ゲール語の話者にとって英語とは要するに支配者の言語ですから、ここには政治的な憤りも混じっているかもしれません。

　とにかく翻訳が貧しい、あまりに貧しい、と詩人が愚痴るものだから、誰が訳したんですか、と誰かが訊くと、自分で訳したんです、と詩人は答えます。当然、人々は笑います。でも詩人は、笑い事じゃありません、ゲール語が伝えていることが英語では伝わらないんです、と大真面目に訴えます。

これを読んで僕は、この詩人のことを、頭の固い完全主義者、というふうに否定的に捉える気にはなりません。この詩人の言っていることが基本的に正しいと思うからです。詩はその意味においても響きにおいても、ある言語の可能性を最大限に活用するジャンルです。詩を書くにあたっては、完全主義者であることが唯一正しい姿勢だと言っても過言ではないと思います（まあもちろん、自発性や即興性に賭ける詩もありますから、一概には言えませんが）。だとすれば、それを別言語に置き換えるとき、原文では活かせたさまざまな可能性が活かせなくなるなら、「貧しい」と嘆くのはまったく真っ当な反応に思えます。

　そう考えてタイトルを見てみると、"The Inadequacy of Translation" というのは、ある特定の詩の翻訳が不十分、不適切ということではなく、翻訳というも

のの不十分さ、不適切さを伝えているように思えます（もちろんこれを、小説・散文一般にまで適用する必要はありません。小説は詩と違って、ある程度の冗長性を含んだジャンルなので、ひとつの要素が伝わなければ、それでその作品のよさは伝わらなくなる、ということはありません。もしかりにそうなってしまうとすれば、それは大した小説ではないのだと思います）。

　さて、朗読が終わり、語り手を含めて何人かが、詩人のゲール語／英語対訳詩集を買い、サインの列に並びます。ああおっしゃいましたが、英訳でも素晴らしいと思いますよ、と語り手は詩人に言いますが、いやいや、翻訳では不十分です、と相手はあくまで言いはります。そう言われて語り手は、「何だか私まで不十分であるような」（I too was inadequate）気になってしまいます。

かりにもしこの作品がここで終わっていたら、タイトルそのままに、翻訳とは不十分なものであるぞよ、ということで話は完結してしまうでしょう。それはそれでよくできた物語ということにはなるでしょうが、あんまり元気は出ません。ですが幸い、おしまいにまだもう2センテンスあるのです——

　Then he smiled at me, as if to apologise for making me feel that way.
　That smile has stayed with me.
　それから彼は、そんな気持ちにさせたことを詫びるかのように、私に向かって笑顔を見せた。
　その笑顔が、ずっと私の胸に残っている。

　不十分なはずの翻訳というものから、その不十分さを超えて、何か伝わるものがある……という作者

の思いがここに現われている、と断定することはできませんが、少なくともそういう読み手の願望をここに反映させる自由はありそうです。この二文があるおかげで、この短篇の読後感、とても温かいです。

　そもそもこの the inadequacy of translation という言い方は、英語圏では、ゲーテの言葉（の英訳）として知っている人もいると思います。1827年7月、カーライルに宛てて書いた手紙にこの表現が出てくるのです。ある英訳によれば、"Whatever may be said of the inadequacy of translation, it remains one of the most essential and most worthy activities in the general traffic of the world"――「翻訳の不十分さについて何が言われようと、翻訳とはやはり、世界の種々さまざまなやりとりのなかでも、この上なく肝要で、この上なく価値ある営みなのです」。

　ゲーテの言うとおりならいいなと、僕も思います。

出典一覧

本書の制作にあたっては、次の書籍、雑誌、ウェブサイト、ラジオ番組、講演他からご協力賜りました。厚く御礼申し上げます（掲載は順不同です）。なおウェブサイトのURLは、本書出版当時のものであり、すでにリンク切れの場合はご容赦願います。

書籍、雑誌

- ●『小説の読み方、書き方、訳し方』（柴田元幸・高橋源一郎／河出文庫）
  pp. 21-22, 30-31, 32, 37, 82, 173, 174, 177

- ●『翻訳教室』（柴田元幸／朝日文庫）
  pp. 21, 28, 43, 61, 81, 108, 123, 160-161, 243, 246, 255-256, 269,
  301, 390, 392
  ※『翻訳教室』（柴田元幸／新書館）
  　　pp. 15-16, 21-22, 33-34, 48-49, 64-65, 88, 100, 131-132, 199, 202,
  　　209-210, 220-221, 247, 321, 323

- ●『翻訳夜話』（村上春樹・柴田元幸／文春新書）
  pp. 71-72, 77, 78-79, 88, 91, 95-96, 97, 100, 106-107, 195, 209,
  212-213, 222, 234

- ●『翻訳夜話2 サリンジャー戦記』（村上春樹・柴田元幸／文春新書）pp.109-110

- ●「MONKEY vol.12」（SWITCH PUBLISHING）pp. 16, 21, 53, 78, 79

- ●『生半可な學者』（柴田元幸／白水Uブックス）pp. 10, 33-34, 40, 47, 48

- ●『じぶんの学びの見つけ方』（フィルムアート社）pp. 31, 33, 37

- ●『二〇世紀アメリカ文学を学ぶ人のために』（世界思想社）pp. 273, 276

- ●『異文化理解の視座』（東京大学出版会）p. 289

- ●『シリーズ言語態2 創発的言語態』（東京大学出版会）pp. 120-121, 124, 128-129

- ●『学校に行きたくない君へ』（ポプラ社）pp. 39- 41
  ※「不登校新聞」2011年11月1日号（全国不登校新聞社）

- ●『小川洋子対話集』（小川洋子／幻冬舎文庫）pp.131-132
  ※「すばる」2005年4月号

- ●『人文知3 境界と交流』（熊野純彦・佐藤健二編／東京大学出版会）
  pp. 182, 183-184

- ●『佐藤君と柴田君の逆襲!!』（佐藤良明・柴田元幸／河出書房新社）
  pp. 186, 191-192

- ●「ひとおもい 創刊号」（東信堂）p.118

- ●「文藝」2009年春号（河出書房新社）pp. 94, 106

- ●『現代語訳でよむ 日本の憲法』（柴田元幸 訳／アルク）p. 131

- ●「ENGLISH JOURNAL」2009年4月号（アルク）p. 31

ウェブサイト

- 「光村図書」ウェブサイト ＞ 中学校 国語 ＞ 作者・筆者インタビュー ＞
  柴田 元幸（アメリカ文学研究者・翻訳家）
  読書コラム「たまには、少し変わった本を」
  https://www.mitsumura-tosho.co.jp/kyokasho/c_kokugo/interview/
  shibata/index.html

- 「新刊 JP」新刊 JP トップ ＞ 特集一覧 ＞ bestseller's interview
  「話題の著者に聞いた、"ベストセラーの原点" ベストセラーズインタビュー
  第 100 回『MONKEY』編集長 柴田元幸さん」
  https://www.sinkan.jp/pages/interview/interview100/index.html

- 「ニュースイッチ」（日刊工業新聞）2018 年 8 月 17 日
  ニュースイッチ TOP ＞ トピックス ＞
  翻訳家・柴田元幸さん「教養を身につけても別に良いことはない」
  https://newswitch.jp/p/14081

- 「東大ナビ」トップページ ＞ 特集記事 ＞ インタビュー ＞
  教員インタビュー：柴田元幸先生
  （全学自由研究ゼミナール「英語で短編小説を読む」)（編集：東京大学 UTLife)
  http://www.todainavi.jp/archive/13825/

- 「出版翻訳｜データベース」インタビューコーナー 柴田元幸さん（執筆・金田修宏）
  http://www.cavapoco.com/trs-data/interview/shibata/index.html

- 「週刊読書人ウェブ」読書人トップ ＞ 特集 ＞ 読書人紙面掲載 特集 ＞ 文学 ＞
  外国文学 ＞ アメリカ文学 ＞ 柴田元幸氏インタビュー
  https://dokushojin.com/article.html?i=2849

- 「英語と English をつなぐ DHC の英語講座」

その他

- 公益財団法人日本近代文学館 「夏の文学教室」講演 2019 年 8 月 2 日

- TBS ラジオ「アフター 6 ジャンクション」2018 年 8 月 1 日放送分
  翻訳界の神・柴田元幸が語るトムソーヤとハックルベリーフィンの重要性とは
  https://www.tbsradio.jp/279550

柴田元幸（しばた・もとゆき）

1954年生まれ。米文学者、東京大学名誉教授、翻訳家。ポール・オースター、スティーヴン・ミルハウザー、レベッカ・ブラウン、ブライアン・エヴンソンなどアメリカ現代作家を精力的に翻訳。2005年にはアメリカ文学の論文集『アメリカン・ナルシス』（東京大学出版会）でサントリー学芸賞を、2010年には翻訳『メイスン&ディクスン（上）（下）』（トマス・ピンチョン著、新潮社）で日本翻訳文化賞を、また2017年には早稲田大学坪内逍遙大賞を受賞。文芸誌『MONKEY』（スイッチ・パブリッシング）の責任編集も務める。英検1級（優秀賞）。

ぼくは翻訳についてこう考えています
―柴田元幸の意見100―

発行日：2020年1月27日（初版）

著者：柴田元幸
編集：株式会社アルク　出版編集部
編集協力：植松恵
装丁・本文デザイン・DTP：山口桂子、山口吉郎（atelier yamaguchi）
表紙イラスト：山口吉郎（atelier yamaguchi）
本文イラスト：島袋里美
印刷・製本：萩原印刷株式会社

発行者：田中伸明
発行所：株式会社アルク
〒102-0073　東京都千代田区九段 4-2-6 市ヶ谷ビル
Website：https://www.alc.co.jp/

地球人ネットワークを創る

アルクのシンボル
「地球人マーク」です。